LEON

Honnête, sensible et beau, Leon a toutes les qualités ! Difficile de croire qu'il a été le petit ami de Ludmila... Je me sens si bien à ses côtés ! Leon m'aime beaucoup, mais je ne ressens pour lui que de l'amitié. Comment le lui faire comprendre ?

TOMAS

Ce guitariste hors pair est le garçon le plus séduisant que j'aie jamais rencontré ! D'ailleurs, toutes les filles du Studio lui courent après. Je sais que je lui plais, mais tout est si compliqué entre nous... Est-ce qu'on pourra un jour être ensemble ?

GERMÁN

Papa... Je l'adore, mais parfois, j'aimerais qu'il soit un peu moins protecteur ! Depuis la mort de Maman, il vit dans la peur de me perdre, moi aussi. D'ailleurs, il refuse d'entendre parler de ma passion pour le chant. Il est fiancé à Jade, une fille aussi chic qu'insupportable !

ANGIE

C'est mon professeur particulier depuis mon arrivée à Buenos Aires, et je l'adore ! Elle me comprend mieux que personne et n'hésite pas à prendre ma défense en cas de désaccord avec Papa. Elle est passionnée par le chant, et c'est grâce à elle que j'ai pris conscience de mon talent.

VIOLETTA

C'est moi ! Après plusieurs années
passées à Madrid, je suis de retour
à Buenos Aires, ma ville natale. Ma mère,
María Saramego, était une célèbre chanteuse.
C'est d'elle que me vient mon talent pour le chant.
Depuis sa mort, je vis avec mon père, un riche
homme d'affaires...
Ma vie a complètement changé depuis que j'habite
en Argentine. Je me suis fait des amis
extraordinaires et, surtout, j'ai découvert
le Studio 21, une école de musique où je peux
enfin vivre ma passion !

LUDMILA

C'est la peste du Studio 21 !
Manipulatrice et arrogante, elle est
prête à tout pour attirer l'attention.
Elle ne se sépare jamais de son acolyte,
Nata, qui lui obéit au doigt et à l'œil !

FRANCESCA

Intelligente et généreuse, Francesca
est ma première véritable amie.
Dommage qu'elle aussi soit amoureuse
de Tomas... Mais, par amitié, je suis
prête à m'effacer pour lui laisser sa chance !

CAMILA

Camila n'a pas sa langue dans
sa poche, c'est le moins qu'on puisse dire !
Drôle et extravertie, elle travaille dur pour
réaliser son rêve : devenir une grande chanteuse.

Cher journal,

Cela fait à peine quelques semaines que j'habite à Buenos Aires, mais depuis mon arrivée ma vie a complètement changé.

J'ai une nouvelle gouvernante super sympa qui s'appelle Angie. Elle donne également des cours de chant au Studio 21, une école de musique. Ça, mon père ne doit pas l'apprendre, parce qu'il n'accepterait pas qu'Angie travaille aussi ailleurs.

Chanter, c'est ma passion, alors je me suis inscrite au Studio sans que mon père le sache car il ne veut pas que je me consacre à la chanson, comme Maman. Angie et moi, on lui a dit que j'allais y prendre des leçons de piano et étudier l'histoire de la musique. En réalité, après toute une série d'examens d'entrée, j'ai intégré le Studio en tant qu'élève à part entière. M'inscrire dans un endroit comme celui-ci ne me permet pas seulement de danser et de chanter, mes deux grandes passions, mais aussi de me faire des amis, ce qui est totalement nouveau pour moi : Francesca, Maxi, Braco et Camila forment ma bande de copains.

Malheureusement, Ludmila fréquente le Studio, elle aussi. C'est une diva blonde qui essaie toujours de me mettre des bâtons dans les roues avec l'aide de Nata, sa meilleure copine.

Et, comme si me faire des amis, étudier au Studio et avoir récupéré les souvenirs de ma mère n'était pas suffisant, je suis tombée amoureuse d'un garçon : Tomas. Pourtant, les choses ne sont pas aussi simples qu'elles en ont l'air... Ludmila lui court après, et pire encore... Francesca aussi ! Du coup, j'ai décidé de m'éloigner de Tomas pour ne pas faire de mal à mon amie, et je me suis rapprochée de Leon, l'ex-petit ami de Ludmila. Il est beau, gentil, sympa et, en plus, je lui plais. Mais je n'arrive pas à oublier Tomas...

Que faire, cher journal ?

Violetta

— Ne sois pas mauvaise perdante, lui répond Ludmila. Tu as raté ta chance… À moi la gloire !

— Poussez-vous, petites fourmis ! lance Nata en nous éblouissant avec le flash de son appareil photo.

— Et toutes ces photos, c'est pour-quoi ? interroge Maxi.

— Je m'entraîne ! rétorque Ludmila en prenant la pose. Je dois m'habituer à vivre entourée de paparazzis. Quand

je serai célèbre, je ne pourrai pas faire un pas sans être harcelée…

Je regarde Camila, stupéfaite.

— Elle n'a pas lu le contrat ? je demande à mon amie. Elle ne sait pas qu'on ne la verra pas quand elle chantera ?

Camila hausse les épaules.

Quelle folie ! Ludmila a vendu son âme au diable ! Pendant quelques secondes, elle me fait de la peine. Enfin... juste quelques secondes, le temps pour elle de monter sur un banc et de se mettre à crier :

— Fourmis du Studio, je pars ! Je vais devenir une étoile alors que vous, petits insectes, vous ne franchirez pas le stade de simples aspirants ! Ne pleurez pas, s'il vous plaît ! Je sais que je vais vous manquer, mais vous pourrez toujours me voir à la télé, au ciné ou en couverture des magazines !

Les autres élèves la regardent, tous aussi ébahis que nous, puis ils l'ignorent, habitués à ses éclats. Elle ne s'arrête pas pour autant. Elle descend du banc, nous regarde avec mépris et claque des doigts en s'exclamant :

— Ludmila s'en va... pour toujours !

Ça aurait été drôle de pouvoir rester avec mes amis après les cours pour se moquer d'elle, mais il faut que je rentre à la maison. Il n'est pas question que mon père soupçonne quoi que ce soit. Et encore moins Jade !

Jade, c'est la petite amie de Papa. Elle est belle, de bonne famille, très BCBG et assez stupide. Depuis qu'elle m'a annoncé que mon père et elle allaient se marier, elle est bizarre. Angie et moi passons notre temps à éluder ses questions. On a même surpris Matias, son andouille de frère, en train de nous suivre ! Je crois que Jade voit Angie comme une rivale parce que mon père l'apprécie réelle-ment, et ce n'est pas étonnant : Angie est belle, gentille, intelligente et… compré-hensive, si compréhensive ! Avec elle, je peux parler de tout.

Au Studio, elle nous a donné un exer-cice : chanter en duo. Au début, Lud-mila devait être avec Tomas, mais on a su qu'elle avait triché au moment du tirage au sort pour tomber sur lui. Alors, Angie a décidé de mettre Tomas et Francesca ensemble, et Ludmila avec Maxi. Fran-cesca est aux anges. Je sais que je devrais m'en réjouir, mais chaque fois que je la vois avec Tomas, j'ai le cœur brisé.

— Je suis une mauvaise amie, Angie ? je lui demande quand elle vient me voir dans ma chambre après le repas.

— Tu es triste parce que Francesca va chanter avec Tomas ?

— Oui, mais en même temps je me sens mal d'être jalouse. Francesca est ma meilleure amie… Leon a raison, Tomas n'est pas pour moi.

Angie hausse les sourcils et me regarde avec un sourire malicieux.

— Et depuis quand Leon est-il ton conseiller ?

Je rougis et me cache le visage derrière un oreiller. La vérité est que mon amitié avec Leon grandit de plus en plus chaque jour. Depuis sa rupture d'avec Ludmila, il a beaucoup changé : avant, il était prétentieux ; maintenant, il se comporte comme un garçon normal. Je peux compter sur lui à tout moment. En plus, son père connaît le mien, alors Leon me comprend, il sait comment est ma vie. Il m'aide aussi à y voir plus clair avec Tomas. Il me répète sans cesse que s'il me fait souffrir, c'est qu'il n'est pas fait pour moi.

Leon m'a même avoué que je lui plaisais. Cependant, il ne veut pas m'influencer et se contente d'être mon ami et mon partenaire de chant.

— Je ne sais plus où j'en suis, Angie, je murmure. Je souffre si je suis avec Tomas et je souffre si je ne suis pas avec lui... D'un autre côté, Leon est toujours aux petits soins avec moi, il m'écoute, m'apaise... Avec lui, tout est facile !

— On dirait que Leon cumule les bons points ! conclut Angie en riant.

Je serre mon oreiller contre moi et me lamente.

— S'il te plaît, ne m'embrouille pas davantage ! Je suis amoureuse de Tomas... et Francesca aussi...

Angie me caresse les cheveux.

— Alors, tu as un grand problème,

Violetta. Ou tu fais ce que tu désires et tu briseras le cœur de ton amie, ou tu penses à elle et tu seras malheureuse.

Puis elle ajoute avec un petit sourire en coin :

— Tu peux aussi oublier Tomas et donner sa chance à Leon. En fin de compte, on dirait qu'il te plaît plus que tu ne le penses…

Je la regarde en grimaçant.

— Tu ne m'aides pas beaucoup, Angie…

— Allez, n'y pense plus et repose-toi, Violetta ! Tu verras, ton cœur décidera pour toi !

Pourtant, parfois, le cœur s'embrouille, lui aussi, et il n'aide pas beaucoup… Pendant les répétitions de mon duo avec Leon, je suis incapable de me concentrer. Je sais que mon ami se sent ignoré, mais je ne peux pas m'empêcher de penser à Tomas. Lorsqu'on chante ensemble, il se passe quelque chose de spécial que je ne retrouve pas avec Leon : une harmonie incroyable !

Pour couronner le tout, aujourd'hui, Angie nous annonce qu'elle a décidé de nous faire chanter en public pour nous apprendre à vaincre le trac ! L'idée de chanter devant tout le monde et la crainte de ne pas créer de complicité avec Leon me font totalement paniquer. Finalement, je prends mon courage à deux mains pour poser la question qui me trotte dans la tête depuis le début des répétitions avec Leon.

— Angie, c'est vrai que pour bien chanter en duo, il faut ressentir ce que l'on chante ?

Elle me regarde, devinant pourquoi je lui pose cette question, puis elle se tourne vers la classe entière et répond :

— Ressentir ce que l'on chante, c'est toujours mieux, mais vous devez apprendre à trouver au fond de vous des émotions qui vous aident.

À la fin de la classe, Leon attend d'être seul avec moi pour me parler en tête-à-tête.

— Alors, c'est ça, Violetta ? me demande-t-il, l'air fâché. Tu ne ressens rien pour moi ? Tu m'as demandé de t'aider à oublier Tomas, mais tu n'y arriveras jamais…

Je secoue la tête, désolée de le faire souffrir.

— Non, Leon. Entre lui et moi, il n'y a rien. J'ai juste besoin de temps…

Leon me regarde fixement, puis il soupire, résigné.

— Je finis toujours par faire ce que tu veux, me dit-il amèrement. Je vais chercher de l'eau et on s'y remet, d'accord ? Allez, on va y arriver…

Une fois seule, je repense à tout ce qu'Angie et lui m'ont dit. Je suis bien décidée à chasser Tomas de mon esprit quand, tout à coup, ce dernier entre dans la classe.

— Tu m'aimes encore, n'est-ce pas ? lance-t-il de but en blanc.

Je le nie, mais Tomas s'approche de moi en me regardant droit dans les yeux.

— Tu ne chantes pas avec lui comme tu le fais avec moi ! insiste-t-il.

— Tu te trompes ! je proteste.

— Je vais te le prouver.

Et avant que je ne puisse faire quoi que ce soit, il branche son MP3 sur l'ordinateur portable de Leon et commence à chanter.

Il arrive que je me sente invisible
Je suis le seul à comprendre
ce que tu m'as fait
Regarde-moi bien, dis-moi qui est le meilleur

Sans pouvoir l'éviter, dès que je l'entends, mon cœur s'affole et ma voix se joint à la sienne :

Près de toi, irrésistible
Je n'arrive pas à y croire

23

Regarde-moi bien, dis-moi qui est le meilleur
Je t'ai vue, mais pas toi
Dans cette histoire, tout tourne à l'envers
Peu importe, cette fois je viens te chercher,
j'arrive...

Mais mon histoire avec Tomas entraîne toujours une grande souffrance. Leon nous surprend en train de chanter. Il me jette un regard rempli de colère mais aussi de peine et de douleur...

Aujourd'hui, il se passe quelque chose de totalement inattendu : Ludmila est de retour au Studio 21. Elle est couverte jusqu'aux oreilles, porte des lunettes de soleil et même un foulard, comme une vraie star qui fuit les paparazzis.

— Qu'est-ce qu'elle fait ici ? je demande à Camila en l'apercevant dans le couloir.

— Elle s'est rendu compte qu'elle s'était fait avoir ! Tu sais quel était le contrat ? Une pub de nourriture pour cochons ! D'après Napo, ils lui ont fait enfiler un déguisement de cochon pour chanter. Et maintenant sa photo est accrochée partout !

Je ne peux pas m'empêcher de rire.

— Pauvre Ludmila ! Et elle devra faire ça pendant dix ans ?

— Penses-tu ! Comme son père est très riche, il a missionné ses avocats pour rompre le contrat. Mais ça ne lui évitera pas d'avoir à supporter les plaisanteries pendant un certain temps.

Comme prédit par Camila, l'histoire de la pub de Ludmila s'est répandue dans tout le Studio comme une traînée de poudre. Tous ceux qui ont été victimes des mauvais tours de la blonde peuvent enfin se venger d'elle en la montrant du doigt dans les couloirs et en grognant comme des cochons quand ils la croisent. Plus d'une fois, je l'ai vue filer, digne mais au bord des larmes. Je reconnais que, d'un côté, je me réjouis de cette situation. Ludmila me martyrise depuis le premier jour, en faisant de moi la victime de toutes ses blagues. À son tour de savoir ce que c'est de souffrir. D'un autre côté, personne ne mérite une chose pareille.

Malgré tout, il faut bien lui reconnaître une capacité de récupération incroyable. Le jour même de son retour, au milieu de la classe d'Angie, elle se précipite sur Maxi.

— Maxi et moi allons être les meilleurs ! annonce-t-elle à tout le monde. On est sur la même longueur d'ondes, pas vrai, Maxi ?

Notre copain la regarde avec les yeux écarquillés.

— Quoi… ?

Mais Ludmila le prend par la main et l'entraîne jusqu'à la sortie de la salle.

— Allez, on doit répéter. À nous de briller !

— Qu'est-ce qu'il lui prend ? demande Francesca, ahurie. Elle n'avait jamais fait attention à Maxi avant !

— Je parie qu'elle complote quelque chose, intervient Camila. Elle doit vouloir faire un retour triomphal pour qu'on oublie la pub.

— Elle peut toujours rêver ! s'exclame Francesca en riant. Ça va être difficile d'oublier son déguisement de cochon !

Je les laisse pour aller répéter avec Leon qui m'attend dans la salle de musique. Je ne sais plus trop où j'en suis. Leon est toujours à mes côtés. Il a une patience infinie avec moi. Alors, pourquoi je ne me laisse pas aller ? Et si je sortais avec lui ? Avec Tomas, tout est si difficile… Chaque fois qu'on se voit, il veut que j'avoue mes sentiments pour lui. Mais je ne peux faire ça à Francesca.

Heureusement, il a une vie très compliquée, et dernièrement, il n'a pas eu beaucoup de temps à perdre avec moi. En plus d'étudier au Studio, il assiste le professeur Roberto : il l'aide à s'occuper des instruments pour pouvoir gagner un peu d'argent.

Sa mère et lui sont venus d'Espagne pour s'installer ici quand sa grand-mère est tombée malade. Tomas a dû abandonner son ancienne école et tous ses amis pour aller dans un endroit inconnu afin de prendre soin d'elle. Cela fait déjà quelque temps qu'ils sont là, mais son père est encore à Madrid. Il attend d'être muté à Buenos Aires pour rejoindre sa famille. Pendant ce temps, tous souffrent de cette séparation…

Comme si cela ne suffisait pas, ces derniers jours, le professeur Roberto lui a reproché d'être distrait au travail. Pour ne rien arranger, Gregorio, le prof de danse, qui, comme tout le monde le sait, ne supporte pas Tomas, cherche n'importe quel prétexte pour le renvoyer de l'école. Du coup, il passe ses journées à essayer de déjouer les manigances de Gregorio et à fuir Ludmila. Ce qui me laisse plus de temps pour être seule avec Leon.

— Tu as le trac ? me demande Camila après la répétition.

— Non… euh, enfin… oui mais pas trop. Je sais que j'en suis capable. Leon m'aide à surmonter ma peur. Il dit que quand on sera sur scène, on devra juste penser à s'amuser. Il est si gentil !

Mon amie me regarde, surprise.

— Toi, tu craques pour Leon ! affirme-t-elle.

— N… non…

— Tu as hésité ! Pas de problème, Violetta, Leon est sympa depuis qu'il n'est plus avec Ludmila, et toi, on dirait que tu es plus calme quand tu es avec lui.

Vraiment ? Leon parvient-il enfin à me faire oublier Tomas ?

Ce matin, Angie nous réunit dans la classe pour nous annoncer que, cet après-midi, nous allons chanter au Resto Band.

Ce local appartient à la famille de Francesca. C'est son frère aîné, Luca, qui le dirige. Comme il est situé près de l'école, c'est là qu'on se retrouve tous dès qu'on a une pause. C'est d'ailleurs pour ça que Luca a décidé de le transformer en bar musical.

Assis à côté de moi, Leon me caresse la main pour me calmer pendant qu'Angie termine son explication.

Je bois un peu du jus de fruit qu'il m'a apporté avant d'entrer en cours, mais je suis si nerveuse que je ne lui trouve aucun goût.

— Violetta, tu peux me prêter un stylo ? chuchote Nata.

Elle est assise juste derrière moi, à côté de Ludmila. Je pose mon verre par terre pour chercher un stylo dans mon sac. Quand je reprends mon jus, je n'en ai plus envie.

— Tu en veux un peu ? je propose à Leon. Moi, je ne peux rien avaler…

— C'est à la fraise ? Tu sais que je suis allergique.

— Non, c'est celui que tu m'as apporté.

Leon prend le verre et boit une bonne gorgée.

Je crois que, dans le fond, lui aussi est sur les nerfs, ne serait-ce que parce qu'il se fait du souci pour moi…

— Alors, tout est clair ? demande Angie.

On acquiesce.

— Très bien, on se retrouve ici après le déjeuner pour aller ensemble au… Leon, ça va ?

En entendant Angie, on se retourne tous vers lui. Je ne peux pas m'empêcher de crier, effrayée : il est tout rouge et n'arrête pas de tousser, comme s'il s'étouffait.

— Leon ? Que se passe-t-il ?

Heureusement, Angie prend immédiatement les choses en main. Elle demande à Leon de lui expliquer ce qu'il lui arrive, mais ce dernier ne peut pas prononcer un seul mot. J'ai très peur. Je crois que de le voir comme ça, en danger, me fait prendre conscience que je l'aime plus que je ne le pensais.

— Mon... mon frère est allergique aux cacahuètes. S'il en mange, il lui arrive la même chose ! s'exclame Nata.

— Leon est allergique aux fraises ! j'ajoute.

— D'accord, pas de panique, dit Angie. Je l'emmène à l'hôpital. Rentrez chez vous ! On se voit cet après-midi au Resto Band !

Finalement, je ne vais pas pouvoir chanter avec Leon... Même si les médecins ont maîtrisé les symptômes de l'allergie, ils lui ont recommandé de rester chez lui pour se reposer.

— Vas-y quand même et essaie de t'amuser, me conseille Angie, de retour à la maison. Tu seras avec tes amis… et ça te permettra de sortir un peu de cette maison de fous.

La maison de fous, c'est chez moi, bien sûr. Jade organise ses fiançailles avec mon père. Elle est hyper nerveuse ! Elle court dans tous les sens en donnant des ordres et en semant le chaos. Quant à Papa… il est bizarre, ces derniers temps… On a tous remarqué son changement d'attitude avec Angie. Dernièrement, il est beaucoup plus attentionné avec elle. Il la défend chaque fois que Jade trouve un prétexte pour la renvoyer et je l'ai surpris, plus d'une fois, en train de la regarder, pensif.

Après le repas, je me rends au Resto Band. Je pensais qu'Angie y serait déjà, car elle est partie un peu avant moi, mais à sa place on y retrouve Pablo, le directeur du Studio.

Tous mes amis sont prêts à chanter. Il y a pas mal de public…

— Angie arrivera un peu plus tard pour des raisons personnelles, nous dit Pablo, mais elle m'a demandé de vous diriger et de vous noter. Vous savez ce que j'attends de vous. Vous devez chanter en duo pour mettre votre talent à l'épreuve. Violetta, ajoute-t-il en me regardant, Leon et toi, vous chanterez en classe dès qu'il ira mieux, d'accord ?

J'acquiesce et vais m'asseoir à côté de mes amies. À ce moment-là, Luca monte sur scène, prend le micro et, à la grande honte de Francesca, se transforme en présentateur.

— Bon après-midi, cher public ! Bienvenue à la bataille des couples !

Pablo lui arrache le micro des mains pour nuancer :

— Non, il ne s'agit ni d'une bataille ni d'un concours. C'est juste un exercice scolaire…

Luca récupère le micro, en ignorant totalement notre directeur.

— Alors, vous êtes prêts à vibrer au rythme de la musique ? Les couples vont monter un à un pour interpréter leur chanson et, à la fin, celui qui aura reçu le plus d'applaudissements gagnera.

— Je vous ai dit que ce n'est pas…

Mais Luca ne laisse pas parler Pablo.

— Allez, qui commence ?

— Nous ! lance Ludmila, qui s'approche rapidement de la scène en tirant Maxi par le bras.

Le pauvre nous fait des signes pour qu'on lui vienne en aide, mais nous, on trouve ça très drôle de le voir mené à la baguette par Ludmila. La blonde est déchaînée. Dès qu'elle attrape le micro, elle annonce qu'ils vont gagner. On entend des grognements de cochons dans le fond de la salle, mais Ludmila les ignore.

Je dois reconnaître qu'elle et Maxi sont plutôt bien assortis. En plus, leur chanson est très romantique. Pendant qu'ils chantent, je ne peux pas m'empêcher de regarder Tomas, assis à une autre table. Lui aussi me regarde. J'essaie de détourner les yeux, mais c'est impossible ! Tomas et moi, on est dans notre propre monde, comme chaque fois que nos regards se croisent.

Soudain, Francesca se lève et part en courant. Ça me sort brutalement de mon rêve. Je la suis jusqu'à la porte du Resto Band.

— Francesca, tu vas bien ?

Elle se retourne vers moi, l'air triste.

— Sois sincère, Violetta. Tomas te

plaît ? me demande-t-elle de but en blanc.

Je recule en essayant de nier. Je me sens coupable.

Francesca hausse les épaules en soupirant.

— Je vois bien comment vous vous regardez. En plus, je sais que toi, tu lui plais et qu'il ne peut pas t'oublier. La chanson qu'on va chanter, il l'a écrite pour toi…

— Comment le sais-tu ? je lâche sans le vouloir.

— Ludmila me l'a dit. Je ne sais pas pourquoi. Peut-être qu'elle voulait me rendre nerveuse pour s'assurer la victoire. Le pire, c'est qu'elle a réussi. Violetta, ne me mens pas, s'il te plaît. Tu l'aimes ?

Je ne peux plus cacher ce qui est évident ! Je lui réponds que oui.

— Mais alors, pourquoi m'as-tu laissée tenter ma chance ?

— Parce que tu es mon amie et que je ne veux pas te faire souffrir !

Elle me regarde, stupéfaite, puis elle me serre dans ses bras.

— Oh, Violetta, tu es ma meilleure copine ! Mais si vous vous aimez, il est absurde de vouloir y renoncer ! Chante avec lui, Violetta. Après tout, c'est ta chanson…

Elle va voir Pablo pour lui dire qu'elle ne se sent pas très bien et que je peux

Tu le sais à chaque instant

la remplacer. Celui-ci me demande de monter sur scène.

Comme toujours, c'est magique ! Quand je chante avec Tomas, tous mes doutes s'évanouissent. Mon cœur l'a choisi par-dessus tout. On ne peut pas cacher nos sentiments.

Le public, lui aussi, s'en rend compte. On est les plus applaudis.

— Ce n'est pas juste ! crie Ludmila. Ils n'auraient pas dû chanter ensemble !

En l'entendant se plaindre, les gens commencent à grogner comme des cochons. Du coup, elle part du Resto Band en courant, furieuse.

Après ça, je me sens si légère… Tout semble avoir un sens. Je me sens enfin libre de pouvoir sortir avec Tomas.

D'ailleurs, ce soir, il me téléphone. Mon cœur est sur le point d'exploser !

— Violetta, maintenant que tout est clair et qu'il n'y a plus personne entre nous, ça te dirait qu'on sorte ensemble ? me propose-t-il à l'autre bout du fil.

— J'adorerais...

Je raccroche, tout excitée, lorsque je me rends compte que j'ai un appel manqué de Leon. Je me mords la lèvre, soucieuse. Les choses ne sont pas aussi simples... Il y a encore une autre personne à qui je dois parler...

J'ai le cœur partagé ! D'un côté, j'ai très envie de voir Tomas, maintenant qu'on a enfin décidé de se donner une chance, mais d'un autre côté, je sais qu'à un moment ou à un autre, je vais devoir parler à Leon.

L'occasion se présente après les premiers cours. Il vient à ma rencontre juste avant le déjeuner.

— Tu vas mieux ? je lui demande dès que je le vois.

— Oui, la réaction allergique est passée, répond-il comme si ça n'avait pas d'importance.

Puis il change de sujet.

— Au fait, tu as un problème avec ton portable ? Je t'ai appelée hier, mais tu ne m'as pas répondu…

Je me sens un peu coupable. Je n'ose même pas le regarder en face.

— Euh… oui, excuse-moi, il était déchargé. Je n'ai vu tes appels que ce matin.

Leon me dévisage. Ça me rend encore plus nerveuse. Je m'apprête à lui donner une autre excuse lorsqu'il me coupe :

— Ce n'est pas la peine de me mentir, Violetta, me dit-il gentiment. Je sais ce qu'il se passe. On m'a dit que tu avais chanté avec Tomas… Pas de problème, je comprends !

J'ai soudainement envie de disparaître ! J'ai honte, mais il me regarde droit dans les yeux et ajoute :

— Violetta, je te l'ai déjà répété cent fois, Tomas n'est pas un garçon pour toi. Il te fera souffrir ! Je sais que tu penses que je le dis parce que je suis jaloux. Ce n'est pas vrai, c'est parce que je suis ton ami.

— Mais… je proteste.

— Écoute, tu crois que ce que tu ressens quand tu chantes avec Tomas prouve que tu l'aimes, mais en réalité, c'est chanter qui provoque en toi cette émotion ! En fait, c'est la musique… c'est en toi !

Ça me trouble de voir à quel point il est capable de deviner mes pensées, mes doutes et mes sentiments. Malgré tout, je me sens obligée de défendre mon choix.

—Je sais que tu es en colère, Leon…

Il me caresse la joue, tout doucement.

— Je ne suis pas fâché, Violetta. Si c'est vraiment ce que tu veux, c'est bon, je l'accepte. Ça me rend malheureux, mais je respecte ta décision et je te laisserai tranquille… pour le moment. Je sais que tôt ou tard Tomas te montrera qui il est en réalité… Et qui sait, peut-être qu'alors tu me donneras ma chance.

— Et si ça n'arrive pas ? je lui demande. Si tout se passe bien avec Tomas ?

Leon hausse les épaules. Il a l'air sincère lorsqu'il répond :

— Quoi qu'il arrive, je serai à tes côtés. Tu pourras toujours compter sur moi.

Je souris, soulagée, lui fais un baiser sur la joue et quitte l'école.

Je dois retrouver mes amis au Resto Band. Maintenant que j'ai parlé à Leon, je vais enfin pouvoir profiter de la journée.

Avoir un groupe d'amis, c'est encore plus chouette que ce que j'imaginais. On est tellement bien quand on est ensemble, le temps passe si vite… Maxi évite une fille qui le poursuit, Braco n'arrête pas d'expliquer des proverbes de son pays, tandis que Francesca, Camila et moi, on parle de choses de filles, et ça, c'est tout nouveau pour moi !

C'est juste à ce moment-là, quand on s'amuse le plus, que Tomas arrive.

— Salut, Violetta, tu veux qu'on aille se promener cet après-midi, juste toi et moi ? lance-t-il devant tout le monde.

C'est si soudain que j'en perds tous mes moyens.

— Euh… Je ne… Je ne peux pas !

Et je m'enfuis en courant jusqu'au Studio, le cœur battant la chamade. Camila me suit, préoccupée.

— Qu'est-ce qu'il te prend, Violetta ?

Tu as laissé le pauvre Tomas sans voix…

— Je sais, je sais… Mais…

Je ne peux même pas la regarder en face tellement j'ai honte. Je ne sais pas comment m'y prendre pour lui avouer quelque chose d'important.

— Camila, ne te moque pas de moi, d'accord ? C'est que je n'ai jamais embrassé un garçon…

Mon amie ne peut pas s'empêcher de pouffer, ce qui me vexe.

— Je t'ai demandé de ne pas rire !

— Excuse-moi, Violetta… On est toutes passées par là. Il y a toujours une première fois. En plus, le premier baiser, c'est le plus important de tous. Avec Tomas, ça va être super, tu vas voir…

Après y avoir pensé longuement, j'appelle Tomas.

— C'est toujours bon, pour cet après-midi ?

Pour notre rendez-vous, je choisis de porter un haut qui appartenait à Maman. Ça me rend plus forte et plus décidée… jusqu'au moment où j'aperçois Tomas. Il est tellement beau…

— Je pensais que tu n'allais pas venir, me dit-il en prenant mes mains dans les siennes. Comme tu es belle ! Ça fait longtemps que j'attends ce moment…

Le sentir si près de moi me fait trembler. J'en perds toute mon assurance. Soudain, Tomas se penche vers moi. Je devine qu'il va m'embrasser. Je panique et pars en courant jusqu'à la maison.

Il me plaît beaucoup, énormément même, mais j'ai tellement peur de me rendre ridicule que je ne décroche pas le téléphone quand il m'appelle. Que doit-il penser de moi ?

Je me sens si perdue, et surtout si honteuse, qu'aujourd'hui, je décide de ne pas aller au Studio.

Et, apparemment, je rate tout un tas de choses…

Le fondateur et propriétaire du Studio, Antonio, est de retour après un long voyage. Pablo décide de monter un spectacle pour qu'on puisse lui montrer à quel point on a progressé. Attention, pas le typique spectacle de fin d'année ! Il veut monter une comédie musicale dans un vrai théâtre, faire payer les entrées et inviter la presse ! Il pense que c'est une bonne manière de nous apprendre à affronter le monde réel en mettant notre talent à l'épreuve dans une production professionnelle dont le sujet serait, bien évidemment, l'amour non partagé.

Vu tout ce qu'il se passe en ce moment à l'école, ce sujet tombe vraiment à pic !

Ludmila court de nouveau après Tomas, maintenant que Francesca s'est retirée officiellement, Tomas et moi enchaînons les malentendus, et Leon…

Justement, ce dernier vient me voir à la maison.

— Pourquoi est-ce tu n'es pas venue en classe ? J'étais inquiet. Ça va ?

— Oui, je voulais juste être seule.

— Il n'en est pas question ! s'exclame Leon joyeusement. Toi, ce dont tu as besoin, c'est de prendre l'air, de te distraire... Allez, on va faire un tour !

Leon est si gentil, si attentionné... Il arrive toujours à me faire voir la vie d'une autre manière, en me rappelant que je suis capable de réussir tout ce que j'entreprends.

Du coup, dès qu'il m'a raccompagnée chez moi, je cours au Resto Band pour voir Tomas. Il est là, perdu dans ses pensées.

Je le salue, pas très sûre de moi, presque dans un murmure.

— Tiens ! Si tu es venue pour continuer ton petit jeu, c'est pas la peine. J'en bave assez comme ça.

— Non, je le coupe. Je voudrais t'expliquer ce qu'il s'est passé.

— C'est plutôt clair, pourtant.

— S'il te plaît, écoute-moi !

Je respire profondément et j'avoue tout, sans oser le regarder en face.

— J'ai honte de te dire ça, mais c'est la première fois que je sors avec un garçon, et quand tu as voulu m'embrasser... j'ai paniqué.

— Je ne comprends pas. Tu veux dire que ça allait être ton premier baiser ? Mais je t'ai vue avec Leon, l'autre jour !

— Quoi ?

— Un jour, je suis venu chez toi et je vous ai vus dans le jardin…

Je secoue la tête, stupéfaite.

— Je n'ai jamais embrassé Leon, ni aucun autre garçon d'ailleurs. Pourquoi est-ce que je te mentirais ?

On se fixe du regard pendant quelques secondes, en silence. Tomas essaie de savoir si je suis sincère ou pas. Ça me trouble.

— Tomas…

— C'est bon, je te propose un nouveau rendez-vous, mais cette fois-ci, sans rien forcer. S'il se passe quelque chose, génial, sinon on passera au moins un bon moment. Tant que je suis avec toi…

Je souris, soulagée.

— Merci…

Il me prend la main et m'entraîne.

— Allez, il est tard et je dois encore ranger les instruments de Roberto. Tu m'accompagnes ?

On arrive au Studio. Je reste dans la salle de musique pendant que Tomas va dans la pièce où sont entreposés les instruments.

— Violetta, tu joues à quoi exactement ?

Je sursaute, effrayée, en entendant la voix de Leon. Je me retourne et le vois appuyé contre la porte, rouge de colère.

— Leon…

— Je ne comprends pas, Violetta. On a passé la journée ensemble, et maintenant, je te trouve à nouveau avec Tomas, comme si de rien n'était, dit-il en croisant les bras. Tu ne vas pas nier que vous êtes plus que de simples amis ?

Je reste bouche bée. Comment lui expliquer ce qu'il se passe si je ne le sais pas moi-même ?

— Je ne te juge pas mais, au moins, j'aimerais que les choses soient claires.

Je soupire.

— Leon, je ne t'ai jamais caché que Tomas me plaisait…

— Et moi ? me coupe-t-il. Est-ce que je te plais ?

— Oui ! je m'exclame sans pouvoir me retenir. En réalité, je ne sais plus où j'en suis…

Leon sourit, satisfait.

— OK, c'est bon… Dis-moi juste une chose : tu chanteras un duo avec moi au spectacle de Pablo ? On ferait un couple « artistique » parfait…

Avant que je puisse répondre, Tomas revient dans la salle. Dès qu'il voit Leon, il s'assombrit…

— Pas d'inquiétude, lui dit Leon. Je voulais juste savoir si elle allait chanter avec moi au spectacle, mais elle m'a répondu que non…

Il baisse la tête et s'en va.

— C'est vrai ? me demande Tomas.

— Oui, ne t'inquiète pas, tout va bien, je le rassure en déposant un baiser sur sa joue. Je dois partir, mais rappelle-toi que tu m'as promis un rendez-vous…

L'après-midi, Camila vient à la maison. Elle me dit qu'elle veut juste passer un moment avec moi, mais en vérité, je la trouve très bizarre. Elle n'arrête pas de me poser des questions. Finalement, elle m'avoue que Tomas lui a demandé de l'aide pour préparer notre rendez-vous.

— Il est si mignon…

— Ah oui ? dit Camila en s'installant sur mon lit. Eh bien, il est dans un état, le pauvre… Au fait, tu es prête, toi ?

Je m'apprête à lui répondre, quand on frappe à la porte de ma chambre. C'est Francesca !

— Vous êtes toutes les deux là ! s'exclame-t-elle en entrant. Ça tombe bien ! Je voulais justement vous proposer quelque chose. Maxi et moi, on a pensé qu'on pourrait former un groupe pour le spectacle et préparer un numéro ensemble. Toi, Violetta, tu serais la chanteuse. Ça vous dit ?

Comme toujours, Francesca a parlé d'une seule traite. Elle se laisse tomber sur mon lit, à côté de Camila, et nous

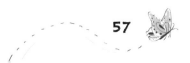

regarde enfin.

— Qu'est-ce qu'il y a ? Vous en faites, une tête… De quoi vous parliez avant que j'arrive ?

On se regarde toutes les trois et, finalement, je décide de parler à Francesca de mon rendez-vous avec Tomas. Celle-ci se met à rire.

— Je le savais déjà ! s'exclame-t-elle. Maxi ne peut pas garder un secret. Il m'a tout expliqué. Violetta, sois tranquille, ça m'est égal que tu sortes avec Tomas. J'en suis même heureuse ! Vous êtes faits l'un pour l'autre. J'aimerais vraiment que ça marche entre vous.

Je m'assieds à côté d'elles, sur le lit.

— J'ai peur, les filles… pour tout. C'est mon premier rendez-vous… et aussi mon premier spectacle !

— On va t'aider ! m'assure Camila.

— Et si on faisait une soirée pyjama ? propose Francesca. Qu'est-ce que tu en dis, Violetta ? On reste dormir ici cette nuit ?

— Chouette ! Ça va aussi être ma première soirée pyjama !

Je commence la journée beaucoup plus détendue. Pourtant, je suis excitée par mon rendez-vous, mais aussi par tout ce que ça représente de participer à un spectacle de cette envergure. Toutes ces émotions sont si nouvelles pour moi que, lorsque je croise Tomas, je me mets à trembler de tout mon corps.

— Violetta, c'est toujours bon, pour cet après-midi ? On se retrouve à 3 heures ?

— Oui, je lui réponds timidement.

Je le regarde s'éloigner d'un pas léger, puis je cours chercher mes livres dans

mon casier. C'est alors que je tombe sur Leon.

— Salut, Violetta ! Tu veux qu'on fasse quelque chose cet après-midi ?

Mince alors, maintenant je cumule les rendez-vous !

— Je ne peux pas, Leon, je, euh… Écoute, je préfère te le dire avant que tu ne l'apprennes par quelqu'un d'autre : j'ai rendez-vous avec Tomas.

— Ne t'affole pas, Violetta ! Ça ne me gêne pas parce que je sais qu'à la fin, c'est moi que tu choisiras…

Le moins qu'on puisse dire, c'est que Leon ne manque pas de confiance en soi !

Je sèche la classe de chant pour aller me changer.

Je monte dans la pièce où sont gardées toutes les affaires de Maman pour choisir une de ses robes et m'asperger de son meilleur parfum. J'ai les nerfs à fleur de peau…

Soudain, je reçois un message sur mon portable. C'est Tomas :

DÉSOLÉ, JE NE PEUX PAS VENIR.

Intriguée par ce lapin inattendu, j'essaie d'appeler Tomas pour lui demander si tout va bien, mais il ne décroche pas. Peu après, je reçois un autre SMS :

ÇA SUFFIT. TOUT EST FINI. NE M'APPELLE PLUS.

Je regarde mon téléphone, comme une idiote, sans rien comprendre.

Soudain, la porte du jardin s'ouvre. C'est Leon.

— Salut, Violetta ! Ça va ?

Il ne manquait plus que lui ! Je ne suis pas en état de faire face à un nouveau casse-tête sentimental… Je suis assez perdue comme ça !

— Leon, excuse-moi, mais ce n'est pas le moment…

— Pas de panique, Violetta, je ne suis pas venu pour parler de nous. C'est que j'aimerais chanter ma nouvelle chanson à Angie…

Je suppose qu'il lit la surprise sur mon visage, parce qu'il ajoute immédiatement :

— Je sais bien que tu ne veux pas qu'on chante ensemble pour le spectacle, mais tu pourrais peut-être me donner un coup de main ? Tout ce que tu as à faire, c'est chanter avec moi en classe, et si Angie accepte ma chanson, je verrai bien ensuite à qui je la proposerai. D'accord ?

Vu tout ce que fait Leon pour moi, je n'ose pas refuser. Il est toujours à mes côtés, alors qu'avec Tomas, il n'y a que des hauts et des bas…

Ce matin, je me lève bien disposée à mettre de l'ordre dans ma vie. D'ailleurs, tout a l'air de me sourire aujourd'hui, parce que Jade est affectueuse au possible. Après tout, elle n'est peut-être pas aussi méchante qu'elle en a l'air. Elle est même sympa avec Angie…

Au Studio, on organise le spectacle. Pablo nous réunit pour nous donner de nouvelles instructions.

— Jusqu'à présent, tout ce que vous m'avez proposé n'a rien d'original.

Ça ressemble trop au spectacle de fin d'année typique, qu'on présente devant les parents. Il nous faut quelque chose de plus professionnel, une histoire qu'on raconte tout en chantant et en dansant. Une vraie comédie musicale, en somme !

Là, c'est vraiment du sérieux ! On commence à parler tous en même temps, et Pablo doit nous interrompre pour pouvoir nous expliquer ce que les professeurs ont à l'esprit.

— Antonio et moi nous occupe-
rons de chercher le financement et
le théâtre. Toutefois, le spectacle
dépend de vous, alors… nous atten-
dons vos propositions !

On dit tout ce qui nous passe par la tête.
Comme le thème principal est l'amour
non partagé, on invente tout un tas d'his-
toires dans le genre de *Roméo et Juliette.*

— Ça manque vraiment d'originalité !
lance Ludmila. J'imagine plutôt une fille
enfermée dans une cabine de péage qui
voit passer un garçon incroyablement
beau au volant d'une magnifique voiture
de sport…

— C'est nul ! crie quelqu'un.

— Eh bien, à moi, l'idée de la fille
coincée quelque part me plaît ! je
réplique. Je suppose que, d'une certaine
manière, je m'identifie à elle.

— Comme une princesse enfermée
dans une tour ? suggère Tomas.

Je ne le regarde même pas, tellement je suis fâchée contre lui. En plus, ce matin, il a eu le toupet de m'arrêter dans le couloir pour me réclamer une explication.

— Je crois qu'on devrait penser à quelque chose d'un peu moins nunuche, se moque Leon.

— Et si elle était enfermée dans une vitrine ? propose Camila. L'héroïne pourrait être un mannequin qui tombe amoureuse d'un garçon en train de jouer de la guitare dans la rue…

Tout le monde se remet à parler en même temps. L'idée de Camila est géniale – comme toujours, d'ailleurs. Elle est si créative… À mon avis, elle n'est pas suffisamment consciente de son talent.

— C'est une excellente idée ! s'écrie Pablo. En plus, comme le mannequin ne peut ni bouger, ni parler, c'est l'image même de l'amour impossible.

— Jusqu'à ce qu'elle prenne vie pour chanter avec lui ! je m'exclame, enthousiaste. On pourrait utiliser la chanson de Leon !

Braco et Napo, qui sont devenus inséparables, ajoutent :

— Il faudrait plus de mannequins.

— Oui ! Ils chanteraient pour lui rappeler qu'elle est inanimée !

— Et les passants dans la rue pourraient se mettre à danser !

— Les filles, on devrait s'habiller super fashion ! souligne Nata.

— À nous tous, on peut inventer la chorégraphie et la musique !

Les idées surgissent, chaque fois meilleures. Pablo proclame enfin :

— Ça y est, c'est officiel ! Nous avons notre spectacle !

On applaudit tous, très émus. Enfin quelque chose de positif à faire en équipe !

Un peu plus tard, Francesca m'interpelle.

— Dis-moi, Violetta, que s'est-il passé avec Tomas ?

— Rien, justement ! Il m'a envoyé un SMS pour annuler notre rendez-vous !

— Tu te moques de moi ? Il croit que c'est toi qui t'es rétractée !

— Quoi ?! Quand je l'ai appelé pour lui demander des explications, il m'a envoyé un autre message me disant de le laisser tranquille…

— Ce n'est pas possible, Violetta !

— Pourtant, il l'a fait… Je ne veux plus parler de Tomas. Avec lui, tout est trop compliqué. J'en ai assez !

Une fois cette décision prise, je me sens mieux. Quand j'arrive dans la classe d'Angie, Leon me demande à nouveau de chanter avec lui lors du spectacle, et j'accepte.

Maintenant que j'ai décidé d'oublier Tomas, je peux me concentrer sur le

plus important : chanter ! Et cette fois-ci,
il y a une vraie connexion avec Leon…

Tout semble possible parfois,
Un regard, un geste irrésistible.
Regarde-moi bien, dis-moi qui est le meilleur
Il était une fois, je t'ai vue, mais pas toi
Dans cette histoire, tout tourne à l'envers
Peu importe, cette fois je viens te chercher…
Il était une fois, je serai toujours près de toi

Dans cette histoire,
tout tourne à l'envers

Même si tu ne me vois pas, regarde-moi
Peu importe, cette fois je viens te chercher...

C'est magique entre nous... Si ça se trouve, Leon a raison. Après tout, ce qui compte, ce n'est pas la personne avec laquelle je chante qui est importante, c'est simplement le fait de chanter !

Je m'apprête à aller au cours suivant lorsque Tomas me rejoint.

— Francesca m'a tout expliqué. Ce n'est pas vrai, je ne t'ai jamais envoyé de SMS...

Je sors mon portable, bien décidée à lui montrer les messages, mais... ils ont disparu !

Je n'ai pas le temps de chercher plus longtemps car Pablo nous appelle. On

entre en classe pour continuer à travailler sur notre comédie musicale. Les idées sont chaque fois plus intéressantes. Pablo me demande de composer le solo de l'héroïne, une chanson triste sur une jeune fille prisonnière qui n'a aucune possibilité de trouver l'amour. J'ai l'impression d'écrire sur ma propre vie…

On a tous du pain sur la planche : Maxi, Francesca, Camila et moi sommes responsables du premier numéro en groupe ; Andrés, Nata, Leon et Ludmila, du dernier ; Braco et Napo doivent travailler les chorégraphies, et les autres élèves ont aussi leur part de travail à faire. La réunion touche à sa fin et Ludmila parle d'elle-même comme de l'héroïne du spectacle. Elle devient si pénible que Pablo doit la rappeler à l'ordre.

— Il va y avoir une audition pour distribuer les rôles.

On sort dans le couloir, des idées plein la tête. Mais je n'ai pas fait deux pas que j'aperçois Leon et Tomas en train de se chamailler.

— Qu'est-ce que vous fabriquez ?

— Tu n'as qu'à lui demander ! me répond Tomas d'un ton sec avant de s'en aller.

— Qu'est-ce qu'il y a, Leon ?

— C'est ce que je voudrais savoir, Violetta ! Quelquefois, tu donnes de l'espoir à Tomas, et d'autres fois à moi. Un de ces jours, il faudra bien que tu choisisses l'un d'entre nous !

C'est la première fois que Leon insiste comme ça. Soudain, tout me paraît clair.

— Eh bien, c'est fait : je ne vais sortir avec aucun de vous deux ! J'ai assez de problèmes chez moi et suffisamment de travail avec le spectacle pour ne pas vouloir me compliquer encore plus la vie. Bref, je reste seule !

CHAPITRE
5

Malgré ma ferme résolution d'oublier
les garçons, je me rends compte, en re-
tournant au Studio, que ça ne va pas être
si facile que ça de m'y tenir.

Tomas me suit partout. Il affirme qu'il
n'est pas l'auteur des SMS.

— Violetta, je crois que quelqu'un
essaie de nous séparer.

— Maintenant, tu vas me dire que c'est Leon, non ? je réponds en fronçant les sourcils. Laisse tomber, Tomas. Chaque fois qu'on tente quelque chose, ça se complique, et en plus, on se fait du mal. J'ai besoin d'être seule !

Mais mon cœur me joue des tours et, même s'il n'est pas question de donner une deuxième chance à Tomas, je ne peux pas m'empêcher de le regarder du coin de l'œil pendant la classe : il est si beau !

En revanche, Leon joue le jeu. À la fin des cours, il me raccompagne à la maison, comme un vrai ami… C'est exactement ce que j'attends de lui ! Petit à petit, Leon est devenu l'un de mes meilleurs copains. Pourtant, j'ai vraiment eu peur de le perdre en lui disant que je ne voulais pas sortir avec lui.

Bref, tout va bien ! Je peux conserver l'amitié de Tomas et de Leon pendant que je mets de l'ordre dans ma tête et dans mon cœur.

Toutefois, en fin d'après-midi, Tomas se présente chez moi.

— Qu'est-ce que tu fais ici ? je lui demande en ouvrant la porte de la cuisine.

— J'ai besoin d'une explication. Qui es-tu réellement ?

— Je ne sais pas de quoi tu me parles… De toute façon, tu ne peux pas venir chez moi quand ça te chante, et encore moins pour me parler comme ça ! je réplique, indignée.

— Tu peux m'expliquer à quoi tu joues ? insiste-t-il, à la fois fâché et blessé. Tu pourrais au moins être sincère avec moi.

— Je l'ai toujours été !

— C'est ça ! Et c'est pour ça que tu as accepté de sortir avec moi alors que tu es la copine de Leon, c'est pour ça que tu n'es pas venue à notre premier rendez-vous et que tu n'as rien voulu savoir ensuite ?

— Qu'est-ce que tu racontes ? Leon et moi, on est juste amis…

— Ah oui ? Et cette vidéo sur Internet ?

Je ne comprends rien à ce qu'il me dit.

— De quoi tu parles ?

Tomas est tellement en colère qu'on pourrait passer toute la nuit à se disputer si mon père ne nous interrompait pas. Il entre dans la cuisine et se met à hurler après Tomas en lui ordonnant de partir.

Et, une fois celui-ci parti, il s'en prend à moi !

Je cours dans ma chambre, j'allume mon ordinateur, et là, je tombe sur une vidéo de ce matin sur laquelle on voit Leon me serrer dans ses bras. Finalement, Tomas a peut-être raison… Quelqu'un semble vouloir nous séparer à tout prix !

Ce matin, c'est le jour des auditions pour le spectacle. Je n'ai pas le temps de penser à mes problèmes avec Tomas.

— Tu dois te présenter au casting, Violetta ! insistent Camila et Francesca.

— Je ne peux pas, les filles ! je proteste. On parlera du spectacle dans la presse et aux infos. Si mon père me voit, ça ira très mal…

— S'il doit l'apprendre, qu'il l'apprenne une bonne fois pour toutes ! dit Camila, toujours aussi positive. Qu'est-ce qu'il peut faire ? Te mettre en cage ?

— Ne plus me laisser sortir, sans aucun doute !

Tomas fait irruption au moment où Francesca ouvre la bouche pour ajouter quelque chose.

— Désolé, nous interrompt-il. Violetta, on peut parler ? On peut terminer la conversation qu'on a commencée hier soir ?

Mes amies me regardent, intriguées. Ça me met tellement mal à l'aise que je l'attaque au lieu de le laisser continuer.

— Pourquoi es-tu venu chez moi ? Tu sais bien que mon père ne t'aime pas.

— Violetta, ne change pas de sujet, s'il te plaît.

— C'est bon… Ne vous fâchez pas ! dit Camila pour nous calmer.

— Toi, ne t'en mêle pas ! intervient tout à coup Nata, accompagnée de Ludmila.

La blonde nous regarde, l'air moqueur, et nous dit en secouant sa chevelure :

— Parfait, Violetta, Tomas va enfin se rendre compte de quel genre de fille tu es !

Ça me fait si mal que je réplique.

— Ah oui ? Et quel genre de fille je suis ? Dis-moi, Ludmila, apparemment quelqu'un a enregistré une vidéo de moi et je commence à croire que c'est toi.

— Tu peux le prouver ? lance Nata.

— Bien sûr que non, dit Ludmila avec une lueur de triomphe dans les yeux. Oh, Violetta… Tu ne vas pas te mettre à pleurer, n'est-ce pas ?

Je me retourne vers Tomas, lasse.

— Tu sais quoi ? Quand on est ensemble, il n'y a que des problèmes, alors il vaut mieux qu'on arrête de se voir, tu ne crois pas ?

Et je pars… Maintenant, j'ai compris

que Ludmila et Nata ont quelque chose à voir avec la vidéo, et sans doute aussi avec les SMS que j'ai reçus. Toutes ces combines leur ressemblent trop… Mais je n'ai plus le temps ni l'envie d'essayer d'arranger les choses.

Les auditions pour le spectacle sont sur le point de commencer, et même si j'ai dit que je n'y participerai pas, j'ai la chanson du mannequin à composer… Rien qu'avec ça, j'ai déjà de quoi faire ! En plus, Angie et Pablo nous ont demandé de réfléchir au moyen de gagner de l'argent pour monter le spectacle… Autant dire qu'il y a du travail ! Je n'ai jamais eu autant de projets si intéressants dans ma vie ! Ni autant d'admirateurs, d'ailleurs.

À la sortie des cours, Leon m'arrête dans le couloir.

— Violetta, me dit-il, très sérieux. Je ne veux pas être de ceux qui te font du mal. C'est pour ça que je dois te dire…

Je soupire, soulagée, sans le laisser finir sa phrase.

— Tu vois ? Voilà la différence entre toi et Tomas ! Toi, tu es toujours présent quand j'en ai besoin. Alors que Tomas, c'est tout le contraire…

En prononçant ces mots, je me rends compte de l'importance de cette différence.

Je suis en plein milieu de mon dernier cours quand Angie vient me chercher pour me ramener à la maison. Papa veut me parler. Je la suis, angoissée. Il a dû se produire quelque chose de grave.

Arrivée à la maison, je retrouve mon père dans son bureau, où il m'attend avec Ramallo, l'air grave.

— Que se passe-t-il, Papa ? je demande, nerveuse.

— Un policier est venu, dit-il. Il nous a demandé de ne pas sortir de la maison durant les prochains jours car un criminel rôde dans les parages.

Je les regarde à tour de rôle, comme s'ils étaient devenus fous.

— C'est une blague ?

— Bien sûr que non ! Il n'est pas question que tu sortes, ni pour aller à l'école de musique ni pour aller nulle part ailleurs.

Mon cœur s'arrête de battre. Ne pas aller au Studio ? Je ne peux même pas l'imaginer. Je ne supporterai jamais d'être loin de mes amis…

— Je ne peux pas louper l'école…

— Tu n'as pas le choix.

— Non !

— Ça suffit, Violetta ! Tu feras ce que je te dis !

Je le regarde fixement, comme si je ne le connaissais pas.

— Ah, c'est vrai ! J'avais oublié que je suis ta princesse enfermée dans une tour...

Et je sors du bureau en pleurant. Moi qui croyais que Papa commençait à comprendre que je ne suis plus une petite fille... Je me trompais. Il me traite encore comme un bébé.

Une fois dans ma chambre, je prends une décision importante : je vais me présenter aux auditions pour le spectacle. S'ils me choisissent pour chanter et que Papa le découvre... tant pis !

CHAPITRE 6

Tous les adultes de la maison sont
en pleine ébullition. J'en profite pour
m'échapper et courir au Studio. Heureusement, car je surprends Ludmila en
train d'annoncer à qui veut l'entendre
qu'elle sera l'héroïne du spectacle, parce
qu'au dernier moment j'ai paniqué
et décidé de ne pas me présenter aux
auditions.

— Mais qu'est-ce que tu racontes, Ludmila ? Bien sûr, que je vais m'y présenter !

Elle pâlit en m'entendant, mais se reprend tout de suite et éclate de rire.

— Violetta, je ne t'avais pas vue. Alors toi, tu sais manipuler ton monde ! Hier, tu disais « non », aujourd'hui « oui »… Décide-toi une bonne fois pour toutes !

J'ai du mal à l'admettre, mais elle a en partie raison. Il faut absolument que je mette de l'ordre dans mes pensées. Je répète sans cesse que je ne veux sortir avec aucun garçon, et pourtant Leon est toujours à mes côtés, même si on est juste amis. Quant à Tomas, je lui ai demandé de toutes les manières possibles de me laisser tranquille, mais maintenant que je l'écoute chanter… je me rends compte que tout n'est pas terminé entre nous. Je ne peux pas ignorer ce que je ressens pour lui.

— Violetta, j'ai bien vu comment vous vous regardez, me glisse Leon à la sortie du cours.

— Je ne peux pas m'en empêcher, Leon. Tu dois me détester…

Il secoue la tête.

— Bien sûr que non, mais fais attention, d'accord ? J'ai peur que Tomas te fasse trop de mal.

Comment sait-on quand c'est trop ? Trop, c'est ce que je ressens pour Tomas. C'est pour ça que je vais le chercher dans la salle de musique.

— Tu viens parler de la vidéo ? demande-t-il en me voyant entrer.

Je respire profondément et lui dis d'une traite :

— Non, je veux qu'on parle de notre nouveau rendez-vous.

Je n'avais jamais vu Tomas aussi heureux.

— Quoi ? Sérieusement ? Tu veux qu'on sorte ensemble ?

— C'est que tu m'avais préparé le rendez-vous parfait, et j'aimerais pouvoir le vivre.

Il éclate de rire.

— Je vais en organiser un autre, ne t'inquiète pas, Violetta ! On va repartir de zéro et, cette fois-ci, rien ni personne ne pourra s'interposer entre nous !

Je souris timidement, bouleversée.

— Tu sais, Tomas, j'ai toujours rêvé de ça : tomber amoureuse, ne plus jamais me sentir seule…

— Tu n'es pas seule, Violetta.

Et il m'embrasse sur la joue avant de se remettre au travail.

De retour à la maison, je remarque qu'Angie et mon père font une drôle de tête. Papa me demande même pardon pour avoir voulu m'enfermer…

— Je suis désolé, ma chérie. J'ai eu un mauvais pressentiment, c'est pour cette raison que j'ai inventé toute cette histoire.

Je suis si contente d'avoir eu le courage de demander à Tomas un autre rendez-vous que je me sens touchée de voir mon père se préoccuper autant de moi. Tout semble s'arranger !

Ça y est, le jour de mon premier rendez-vous est enfin arrivé ! Mais avant, je dois aller passer les auditions ! La première épreuve, c'est la danse. Gregorio choisit Ludmila, Francesca, Nata et moi. Camila est désespérée. Je l'entends même dire qu'elle n'est peut-être pas à sa place au Studio. L'épreuve de chant est encore plus difficile. Curieusement, Nata, qui avait été sélectionnée, ne s'y présente pas. On devine que c'est à cause de Ludmila : elle a dû lui interdire de se présenter pour éliminer une rivale.

Ludmila, Leon, Tomas, Maxi, Napo, Francesca, et moi chantons, mais les professeurs n'arrivent pas à se décider.

— Nous hésitons entre Ludmila et Violetta, dit Antonio. Quand on aura fait notre choix, nous annoncerons aussi le premier rôle masculin. S'il vous plaît, les filles, vous pouvez chanter à nouveau ?

On interprète la chanson du mannequin, celle que j'ai composée. Finalement, c'est Ludmila qui l'emporte.

Et le pire, c'est que Tomas sera son partenaire. Je n'en suis pas vraiment ravie. Ça veut dire qu'ils vont passer pas mal de temps ensemble.

Toutefois, il y a aussi plein de bonnes nouvelles ! Je suis arrivée en deuxième position, en dépit du fait que j'étudie au Studio depuis peu de temps, j'ai écrit une chanson pour le spectacle, et en plus, mes amis et moi avons été choisis pour interpréter la bande de mannequins. Mais ce qui est encore mieux, c'est que cet après-midi, je vais enfin avoir mon premier rendez-vous avec Tomas, et ça, c'est encore plus génial que d'être l'héroïne d'une comédie musicale !

Je passe le reste de la journée à fredonner les chansons du spectacle. Une fois à la maison, je me fais belle pour mon rendez-vous !

Quand j'arrive au parc, je suis surprise de voir que Tomas porte les mêmes vêtements qu'en classe. Après tout, ce n'est pas si grave… L'important, c'est qu'on va enfin pouvoir être ensemble !

— Ça fait longtemps que tu m'attends ? je lui demande en m'asseyant à côté de lui sur le banc.

Rien qu'en le voyant, je devine que quelque chose ne va pas.

— Tomas, qu'est-ce qu'il y a ?

— Mon père a téléphoné. Il a appris que ma grand-mère allait beaucoup mieux. Comme il n'est plus nécessaire

que ma mère s'occupe d'elle et que son entreprise n'a pas l'intention de le muter à Buenos Aires... il nous a envoyé les billets d'avion pour qu'on rentre !

— Qu'est-ce que tu dis ? je murmure, incapable de comprendre un seul mot.

Tomas me regarde droit dans les yeux.

— Je rentre en Espagne, Violetta.

Pendant quelques secondes, je ne sais pas quoi dire ni comment réagir. C'est comme si la Terre s'arrêtait de tourner. Je n'arrive pas à mettre de l'ordre dans mes pensées. La seule chose que je peux dire, c'est que ça ne va rien changer entre nous.

— Violetta, sois réaliste, s'il te plaît, me dit-il. Je ne pars pas dans le village d'à côté, je m'en vais à 20 000 km d'ici ! Tu dois m'oublier.

— Mais on peut avoir une relation à distance…

— Quelle relation ? Violetta, heureusement que rien n'a vraiment commencé entre nous…

— Heureusement ? je m'exclame, blessée.

Tomas enfouit son visage dans ses mains. Il a l'air si malheureux !

— Violetta, je ne veux pas te donner de faux espoirs.

— Ne me dis pas que tu ne vas même pas essayer ! je m'énerve.

— Je ne veux pas que tu te fasses d'illusions. Je ne serai pas là quand tu auras besoin de moi. Tu rencontreras quelqu'un de mieux que moi, tu verras…

— Ce que tu veux, c'est être libre pour pouvoir sortir avec une autre fille en Espagne !

Je sais bien que je ne suis pas juste avec lui, mais je souffre tellement que j'ai besoin de lui faire du mal.

La vie continue, comme si rien ne s'était passé… Antonio annonce que Leon prendra la place de Tomas. Les répétitions commencent.

Petit à petit, je découvre qu'il faut beaucoup travailler, mais je ne me donne pas à fond. Mes soucis avec Tomas et la peur que Papa découvre la vérité m'empêchent d'aller au bout de mes rêves. Je dois absolument être plus exigeante avec moi-même, aspirer à être la meilleure et tout faire pour y arriver !

En ce qui concerne Tomas, il n'y a rien à faire. En revanche, je peux parler à Papa, défendre mes rêves et, enfin, commencer à prendre ma vie en main…

Je suppose qu'il n'est pas si facile d'affronter son père ou d'être sincère quand on sait que la vérité peut blesser ceux que l'on aime.

J'essaie de tout avouer à Papa, mais je n'y arrive pas. Angie et lui semblent aussi vouloir ouvrir leur cœur, comme s'ils avaient un secret à révéler. Finale-

ment, aucun de nous n'est capable de dire ce qu'il a dans la tête.

Je ne sais pas exactement ce qu'il y a entre eux. Je les ai souvent surpris en train de parler à voix basse, mais ils se taisent dès qu'ils me voient. Plus d'une fois j'ai pensé que ce serait bien s'ils étaient ensemble… Pas seulement parce que Jade, la fiancée officielle de Papa, est complètement folle, mais aussi parce qu'Angie est si douce et si gentille qu'elle aiderait mon père à être plus compréhensif. Le fait est que depuis qu'elle est entrée dans notre vie, il a beaucoup changé. Il est plus calme et plus indulgent. Toutefois, je préfère ne pas me faire d'illusions, car même s'ils échangent des regards intenses, les préparatifs des fiançailles de Jade et de mon père suivent leur cours.

Depuis qu'Antonio a remplacé Tomas par Leon, les répétitions sont assez chaotiques. Il est clair que Ludmila est furieuse de ne pas pouvoir chanter avec Tomas et elle se comporte, plus que jamais, comme une diva : elle interrompt les répétitions pour se plaindre, nous snobe tous, et se comporte très mal avec Leon.

Mais, ce matin, Ludmila va vraiment trop loin. Elle commence à se plaindre de la manière de danser et de chanter de Leon devant l'ensemble des élèves et des professeurs. La situation est si tendue que Leon finit par craquer et se fâcher pour de bon.

— Pourquoi interromps-tu encore une fois la répétition ? s'exclame-t-il.

— Tu me caches la lumière. Tu vois ? Ce projecteur-là, il est pour moi. Si tu te mets au milieu, je me retrouve dans l'ombre, dit-elle en soupirant comme si elle était en train de faire un effort insurmontable.

On s'y remet ?

— Non ! la coupe Leon. Répète toute seule !

— Quoiiiii ? s'écrie Ludmila.

Il lui tend son micro.

— Il n'y a que toi qui comptes, n'est-ce pas ?

Et il quitte la scène. Les professeurs sont très contrariés. Le départ de Leon en plein milieu de la répétition leur a semblé bien peu professionnel, même s'ils conviennent que l'attitude insupportable de Ludmila est en partie responsable de son comportement.

C'est ce que Francesca m'explique quand elle vient me voir à la maison, cet après-midi. Elle ajoute qu'elle a parlé avec Tomas et qu'il est malheureux de devoir rentrer chez lui.

— Et dire que rien de tout ça ne serait arrivé si son père avait trouvé un emploi ici, commente Francesca pendant que nous essayons des bagues.

— Quel est le métier de son père ?

— Il travaille dans le bâtiment. Il conduit de gros engins.

Je reste pensive…

Ce matin, à peine levée, je décide de demander de l'aide à mon père. Après tout, nos rapports sont bien meilleurs maintenant. En surtout, il dirige une entreprise de construction.

— Papa, tu crois que tu pourrais donner du travail au père d'un de mes amis ?

— Je ne sais pas, je suppose… répond-il gentiment. Il en cherche ?

— Non, mais il vit très loin de sa famille. Ce serait génial s'il avait quelque chose ici !

— C'est le père de qui ? me demande-t-il tout à coup.

Je deviens si nerveuse qu'il comprend tout de suite.

— N'ajoute rien : c'est le père de Tomas, n'est-ce pas ?

— Oublie ce que je t'ai dit ! je m'exclame aussitôt, déterminée à ne pas me disputer avec lui une nouvelle fois à cause de Tomas.

— Violetta ! m'appelle-t-il. Ne pars pas, ma chérie, on peut en parler…

Mais je sors pour me rendre au Studio, sans vouloir rien entendre. Je ne veux pas gâcher notre relation maintenant.

Quand j'arrive en classe, les problèmes continuent. Pablo, Antonio et Angie assistent, très sérieux, à la répétition. Le fondateur de l'école passe un savon à Leon.

— Jeune homme, non seulement ce que tu as fait hier n'est pas professionnel du tout, mais en plus c'est un manque de respect total pour tes compagnons, lui reproche-t-il devant tout le monde.

Leon essaie de s'excuser, mais Antonio ne le laisse pas faire.

— Nous avons pensé que quelqu'un capable de faire ça pendant une répétition ne pouvait pas jouer le premier rôle d'un spectacle comme celui-ci. Tu vas donc être remplacé, Leon.

— Par qui ? crie Ludmila, au bord de la crise de nerfs.

— Eh bien, intervient Pablo, on a parlé avec Tomas. Comme il ne part que dans un mois et que le spectacle aura lieu avant, c'est lui qui reprendra le rôle.

Bien évidemment, Ludmila saute de joie à l'idée de chanter à nouveau avec Tomas. Moi, en revanche, je n'en mène pas large. Ça va être très dur de passer tout un mois près de lui et de le voir tous les jours en sachant qu'il va devoir partir… Mais chaque chose en son temps ! Il y a plus urgent qu'être déprimée : consoler Leon ! Il est complètement abattu d'avoir perdu le rôle principal, d'autant plus que c'est Tomas qui le récupère. Malgré le départ prochain de ce dernier, la rivalité est encore grande entre eux.

Pendant que j'accompagne Leon prendre quelque chose à la cafétéria pour essayer de lui remonter le moral – une fois n'est pas coutume –, Camila et Francesca se réunissent avec les professeurs. Ils nous ont demandé de penser à différentes manières de gagner de l'argent pour financer le spectacle. On a eu l'idée d'organiser une « rencontre de groupes » au Resto Band.

Maxi et Camila connaissent quelques groupes de musique professionnels qui ont accepté de jouer dans le local de Luca. Ce sont des groupes suffisamment connus pour attirer le public et faire payer l'entrée.

Les professeurs donnent leur accord. Super ! Un autre projet qui va nous permettre de travailler !

N'importe qui dirait qu'avec autant de travail, je n'ai plus le temps de penser à Tomas, mais le destin peut être vraiment cruel…

Dès notre première répétition, je me rends compte que les choses vont être compliquées. Au lieu de s'appliquer à chanter avec Ludmila, Tomas n'arrête pas de me regarder. Notre diva blonde en est évidemment vexée, et ça contrarie aussi Antonio qui exige de nous plus de concentration. La situation devient si gênante que je dois demander à Tomas de centrer son attention sur Ludmila.

— C'est bon, je comprends, admet-il tristement. Tu as raison, je vais te laisser tranquille, je te le promets. Je veux juste que tu saches une chose : ce que je ressens pour toi est profond, et où que je sois, je ne t'oublierai jamais. Je devais te le dire…

C'est beau, mais si triste… On sait qu'on s'aime, mais il est clair qu'on ne pourra jamais être ensemble.

Il ne nous reste qu'un mois ! Il vaut mieux n'être qu'amis…

Cet après-midi a lieu la rencontre des groupes. Mes amis se consacrent corps

et âme à ce projet. Camila se charge de tout. Elle dirige incroyablement bien ! Elle a tout en main : le local, les entrées, le vestiaire, les groupes… Elle a failli abandonner le Studio après les auditions parce qu'elle ne se croyait pas suffisamment bonne, mais elle est drôlement douée. C'est une excellente directrice.

Le spectacle au Resto Band est un vrai succès. C'est plein à craquer.

— Alors, tu as dit à Tomas que vous ne seriez qu'amis ? me demande Francesca.

— Oui, je crois que c'est ce qu'il y a de mieux pour nous deux, je lui réponds en haussant les épaules.

— Et tu es très malheureuse ?

— En fait, je suis en colère ! Si mon père n'était pas aussi têtu, il aurait donné du travail à celui de Tomas, comme je le lui ai demandé, et tout se serait arrangé.

Francesca pose une main sur mon

 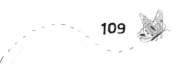

bras pour me faire taire, car à ce moment-là, Ludmila passe à côté de nous.

Maintenant, c'est au tour des Rock Bones. Ils sont archi connus. Je suis super fan d'eux, alors quand ils m'invitent à monter sur scène pour chanter ensemble *Mi perdición*, c'est comme un rêve ! Pendant la chanson, je réalise que chanter, c'est ma passion, et peu importe avec qui je le fais. Je découvre aussi que je n'ai plus peur de chanter en public.

À la fin du concert, je suis si excitée qu'il faut que je me calme. Leon me propose d'aller marcher dans le parc.

— Assieds-toi, Violetta, me dit-il en me montrant un banc près du lac.

Il s'installe à côté de moi, me prend les mains et dit :

— Ferme les yeux.

Je lui demande pourquoi, en riant.

— Fais-moi confiance ! Allez, ferme les yeux, s'il te plaît.

J'obéis.

Il me parle au creux de l'oreille.

— Je veux que tu penses à l'endroit le plus romantique que tu puisses imaginer, avec une musique parfaite. Maintenant, il ne manque plus qu'une chose…

— Quoi ? je murmure, les yeux toujours fermés.

— Ça.

Soudain, je sens sa main sur ma joue, ses lèvres sur les miennes, et c'est ainsi, de la façon la plus romantique possible, que Leon me donne mon premier baiser. Et cette fois, je n'ai pas peur…

Quand Leon s'écarte de moi, j'ouvre les yeux et je vois qu'il me sourit.

— Ça va ? me demande-t-il doucement.

— Oh oui... je murmure, rêveuse. J'en suis encore toute troublée ! Je croyais que tu étais fâché après tout ce qu'il s'est passé avec Tomas...

— J'ai décidé qu'il était temps d'arrêter de parler et de passer à l'action. Tu es en colère ?

Je fais « non » de la tête. Il est l'heure de rentrer ; on part, main dans la main…

Ce même soir, alors que nous sommes à table, Olga sort de la cuisine, un énorme bouquet de fleurs à la main.

— C'est pour toi, Violetta ! On vient de l'apporter, dit-elle joyeusement.

Je m'étrangle presque. Je me lève im-médiatement pour lire la carte.

— C'est Leon, je dis en rougissant.

— Leon ? demande mon père, mé-fiant. Et pourquoi Leon t'envoie-t-il des fleurs ?

Je me tourne vers lui, nerveuse, mais bien décidée à ne plus lui mentir.

— C'est que… Comment dire… Papa : Leon et moi, on sort ensemble !

Il fait une de ces têtes… Je profite de l'effet de surprise pour mettre les points sur les « i ».

— Je sais que ça ne te fait pas plaisir, mais tu vas devoir t'y habituer.

Et je file dans ma chambre avant qu'il ne retrouve ses esprits, évitant ainsi toute discussion.

J'ai tellement de choses à t'écrire, mon cher journal… J'ai reçu mon pre-mier baiser… Ça a été merveilleux, beau-coup mieux que je ne l'avais imaginé.

Les sensations que Leon éveille en moi me font penser que mes sentiments pour Tomas n'étaient peut-être pas réels. Une personne qui t'aime vraiment ne te fait pas souffrir.

Ce matin, Leon et moi avons du mal à nous concentrer en cours de danse. On n'arrête pas de se regarder et tout le monde s'en rend compte. Leon me donne même un petit baiser avant de partir.

Dès qu'il passe la porte, mes amis m'entourent en riant.

— Tiens, tiens… commence Francesca. J'ai l'impression qu'on a raté quelque chose… Que s'est-il passé avec Leon ?

— Rien, rien…

— Allez, Violetta, ce n'est pas bien

d'avoir des secrets pour ses amis ! me lance Maxi.

— Euh… C'est que… Leon et moi, on s'est embrassés hier…

Francesca, Camila et Maxi poussent un cri. Ils veulent plus de détails, ce sont de vraies commères ! Moi, je suis si heureuse que je ne peux rien leur refuser. On parle pendant un bon moment.

C'est si nouveau de pouvoir tout leur expliquer… Mais même si j'ai choisi d'être avec Leon, je ne veux pas voir Tomas souffrir. Par hasard, je l'entends parler avec le professeur Roberto dans la salle de musique. Il a l'air désorienté.

— Tu dois essayer de te concentrer sur ce qui est vraiment important, lui dit Roberto.

— Je sais, mais on dirait que rien ne me réussit, réplique Tomas en perdant patience. Quand il semble que j'obtiens enfin ce que je croyais impossible, comme être admis dans cette école ou interpréter le rôle principal d'une comédie musicale, je dois tout abandonner !

— Tu es très doué, Tomas. Tu te feras remarquer où que tu ailles, affirme Roberto.

— Peut-être, mais jusqu'à présent, je ne m'étais pas rendu compte à quel point cet endroit et les gens qui m'entourent étaient importants pour moi. C'est ce qui me manquera le plus…

Je rentre à la maison, bien décidée à mettre mon orgueil dans ma poche et à demander une autre fois à mon père de trouver du travail à celui de Tomas. Papa s'étonne de ma demande.

— Mais tu ne sors pas avec Leon ?

— Si, Papa. Mais je ne fais pas ça pour

marquer des points avec un garçon, je le fais pour aider un ami. Tu peux le faire ?

— Ce n'est pas aussi facile, Violetta…

Ne voulant pas entendre d'autres excuses, je retourne en classe. Peu après, Papa envoie quelqu'un me chercher : il veut les coordonnées du père de Tomas. Il s'engage à lui trouver du travail. Parfois, il me surprend…

Je suis si contente que je cours avertir Tomas. Comme d'habitude, je le trouve au Resto Band.

— Tomas, j'ai parlé à mon père, il va trouver du travail au tien, ici, à Buenos Aires… Tu pourras rester ! je lui dis dès que je le vois.

Je croyais qu'il allait sauter de joie, mais non, il reste assis et me regarde d'un drôle d'air, comme s'il contenait sa colère.

— Violetta, tu es la pire personne que je connaisse !

J'en ai le souffle coupé. Ses mots me font aussi mal qu'une gifle.

— Mais pourquoi dis-tu ça ? je murmure, estomaquée.

— Il a raison, intervient Ludmila en approchant de la table, un milk-shake à la main.

Elle prend Tomas par les épaules, comme s'il lui appartenait. J'en reste bouche bée.

— Je ne comprends pas pourquoi tu te mets dans cet état… je reprends.

— Ludmila vient de me dire qu'*elle* a demandé à son père du travail pour le mien. Et, comme par hasard, tu as la même idée, maintenant ?

— Je suis sûre que tu m'as entendue en parler avec Nata et que tu m'as volé l'idée, dit Ludmila. Ce n'est pas bien de jouer avec les sentiments des gens, Violetta !

— Qu'est-ce que tu racontes ? Ça fait plusieurs jours que j'en ai parlé à mon père, mais il ne me l'a confirmé qu'aujourd'hui.

— Pourquoi est-ce que tu fais ça ? m'interrompt Tomas. Pourquoi voudrais-tu m'aider si tu sors avec Leon ?

— Je vais te le dire, moi, pourquoi ! rétorque Ludmila en prenant un visage faussement attristé. Parce que la pauvre Violetta est si égocentrique qu'elle veut avoir tout le monde à ses pieds…

Je les regarde à tour de rôle, comme s'ils étaient devenus fous. Ludmila se moque alors de moi.

— Allez, Violetta, encore un petit effort et tu réussiras même à verser quelques larmes.

Je m'enfuis avant de la gifler ou de me mettre à pleurer pour de bon.

Je me sens si mal que je retrouve mes amis pour leur raconter ce qu'il vient de se passer.

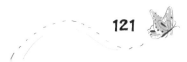

— Mince alors, je comprends tout ! s'exclame Francesca. Ludmila nous a entendues en discuter, l'autre jour, au Resto Band. Tu t'en souviens ?

À cet instant, Leon arrive et on change de sujet.

Un peu plus tard, il me raccompagne à la maison. Juste au moment où on se dit au revoir, Angie et mon père nous surprennent sur le pas de la porte.

— Angie ? Qu'est-ce que vous faites ici ? s'étonne Leon en la voyant.

À l'école, personne ne sait qu'elle est mon professeur particulier.

On invente un prétexte pour expliquer à mon père pourquoi Leon et Angie se connaissent, afin de ne pas éveiller ses soupçons. Je suppose que Papa a passé une bonne journée, car il accepte nos explications sans broncher et invite même Leon à dîner avec nous.

Je profite d'une brève absence de Papa

pour raconter à Leon toute l'histoire avec Angie, tous mes mensonges… Il n'en revient pas mais, comme toujours, il m'offre son aide. Et je dois bien reconnaître qu'il réussit à gagner mon éternelle affection et toute mon admiration en se montrant capable de supporter l'assommante Jade qui lui parle de sa fête de fiançailles pendant tout le repas.

Finalement, on survit tous à cette soirée de présentation officielle de mon petit ami !

Ce matin, en revanche, l'humeur n'est pas au beau fixe. Antonio nous annonce que la comédie musicale ne se fera pas faute d'avoir récolté assez d'argent. L'école ne peut pas se permettre de payer la différence. Selon lui, il faudra se contenter de l'habituel spectacle de fin d'année destiné aux parents. On est tous consternés.

— Ce n'est pas possible ! dit-on à Angie, lorsqu'on la retrouve en classe. On a trop travaillé et trop répété pour que tout tombe à l'eau !

Camila, toujours aussi organisée, a préparé un dossier avec plein d'idées pour

gagner plus d'argent. Elle le remet à Angie.

— C'est pour Antonio, explique-t-elle. Dites-lui que nous sommes prêts à tout.

—Je crois qu'il le sait, répond Angie, mais je le lui transmettrai. Tout cela est vraiment dommage, car Pablo a proposé d'investir ses économies dans le spectacle, mais Antonio ne veut pas les accepter…

Un peu plus tard, alors que nous sommes dans les couloirs de l'école, Napo vient nous trouver.

— Antonio veut nous voir, nous informe-t-il.

On le suit jusqu'à la salle de spectacle. Tous les professeurs nous y attendent, l'air sérieux.

Antonio attend d'avoir le silence pour commencer.

— Comme vous le savez, l'idée d'organiser une comédie musicale nous a tous enthousiasmés. Nous savions que ça serait difficile et on ne s'est pas trompés. Cependant, votre attitude m'a ouvert les yeux…

Soudain, il sourit…

— Vous voir tous si unis, vous battre pour ce que vous aimez m'a rappelé ce qu'est l'esprit du monde du spectacle…

Il nous regarde un à un avant de continuer son discours.

— Je vous ai toujours demandé de faire le maximum d'efforts pour atteindre l'excellence et, maintenant, celui qui n'est pas à la hauteur, c'est moi. Pablo veut apporter l'argent qu'il manque pour financer la représentation, je ne peux pas le lui refuser, alors… le spectacle continue !

CHAPITRE 9

La préparation du spectacle suit son cours, et ma vie aussi… Mais j'ai encore beaucoup de choses à tirer au clair avec Tomas, ne serait-ce que pour que notre séparation ne nous laisse pas un goût amer.

Je le trouve en train de jouer de la guitare à fond, dans la salle de musique.

Malgré tous mes efforts, il n'y a pas moyen qu'il m'écoute. Finalement, je débranche la guitare de l'ampli.

— Je pensais qu'on pourrait être amis, mais tu me rends vraiment la vie impossible, Tomas ! je lui lance lorsque la musique s'arrête enfin. On peut savoir pourquoi tu as une image aussi négative de moi ? Tu m'accuses de choses horribles…

— Après tout ce qu'il s'est passé et après m'avoir dit que tu m'aimais, il a fallu que tu donnes ton premier baiser à Leon. Il devait être pour moi, ce baiser, Violetta ! Je n'arrive pas à l'accepter…

Je suis stupéfaite d'entendre cet aveu. J'en ai un nœud dans la gorge. Il me faut quelques secondes pour pouvoir parler.

— Je ne te comprends pas, je dis tout bas. Tu es odieux avec moi, et maintenant tu me dis ça… Tu me détestes ou tu m'aimes, Tomas ?

Il soupire en se passant une main dans les cheveux. Il semble fatigué de nos disputes.

— En réalité, peu importe ! Tu sors avec Leon. Tu l'as embrassé, ça prouve bien que tout ce que tu disais ressentir pour moi n'était qu'un mensonge. Tu n'es pas la personne que je croyais…

Ces mots me font beaucoup de peine.

— Mais c'est toi qui as rompu avec moi parce que tu partais ! je proteste.

— Et tu t'es immédiatement jetée dans les bras de Leon !

Je détourne les yeux, il n'est pas question qu'il me voie comme ça.

— Leon ne me fait pas souffrir, lui au moins…

— Alors, ce n'est pas la peine d'en parler davantage, tout est fini. Tu n'as pas besoin de voler leurs idées aux autres pour me faire croire que je compte pour toi. Oublions toute cette histoire une bonne fois pour toutes !

De retour à la maison, je découvre Jade folle de rage : Papa a annulé leurs fiançailles. Je dois dire que j'en suis ravie. De toute façon, je ne la supporte pas et, en plus, leur fête devait avoir lieu le même jour que le spectacle ! Jade n'imagine même pas qu'il ait rompu à cause de son caractère. D'abord, elle rejette la faute sur moi et, ensuite, elle accuse Angie de s'être interposée entre eux. Nous, on la laisse seule dans le salon et on monte dans ma chambre.

— Ne fais pas attention à elle, Violetta, me console Angie. C'est ton père qui a pris cette décision. Lui seul sait ce qui lui convient.

— Ah, mon Angie ! Je ne sais pas ce que je ferais sans toi. Depuis ton arrivée dans cette maison, ma vie a totalement changé.

Elle me prend les mains, émue.

— Je serai toujours à tes côtés, Violetta. Tu peux compter sur moi, je te le promets.

Au Studio, ça ne va pas beaucoup mieux ! Ludmila me rend la vie impossible pour gagner l'amour de Tomas et me rabaisse devant les autres ! Pour ne rien arranger, j'apprends qu'il y aura nos noms sur le programme du spectacle, et peut-être même nos photos. Mon père pourrait tomber dessus par hasard.

— Violetta, tu ne peux pas abandonner ! me dit Leon. C'est ta vie, ta passion !

— Je sais, Leon, mais si mon père apprend la vérité, il me détestera.

— Violetta, ton père ne peut pas te détester et il n'apprendra pas non plus que tu étudies ici…

— Je n'en serais pas si sûre à ta place ! résonne une voix criarde.

On sursaute tous les deux. Mon sang ne fait qu'un tour : Jade se tient là et nous regarde avec un sourire de satisfaction que je ne lui ai jamais vu auparavant.

— C'est vrai, ce que j'ai entendu ? Tu étudies ici ? Ton père sera tellement malheureux quand il apprendra que sa fille adorée lui ment effrontément…

— S'il te plaît, Jade, je la supplie. La seule chose que tu réussiras à faire en lui révélant la vérité, c'est lui faire du mal.

— Le même mal qu'il m'a fait en rompant nos fiançailles ? réplique-t-elle en me laissant sans voix. J'ai bien l'impression que j'ai enfin trouvé quelque chose qui va m'aider à le récupérer.

— C'est tout ce qui compte pour toi, n'est-ce pas ? je lui demande, horrifiée par son attitude.

Jade hausse les épaules.

— Si seulement on avait été plus amies, Violetta, mais tu as toujours été contre moi. Maintenant, tu vas me le payer, ma belle… déclare-t-elle pour m'intimider.

À ces mots, elle fait demi-tour et s'en va, sans rien ajouter. Je reste figée un bon moment, incapable de réagir.

— Qu'est-ce que tu vas faire ? me demande enfin Leon.

— Aucune idée ! Tout ce que je sais, c'est que je dois parler à mon père avant qu'elle ne le fasse.

J'arrive chez moi, hors d'haleine, juste à temps pour barrer la route à Jade.

— Jade, je t'en prie. Ce n'est pas comme ça que tu vas récupérer mon père ! Et puis, le Studio, c'est toute ma vie. Je sais que je n'aurais pas dû mentir à Papa, mais je ne peux pas changer le passé, ni dissimuler mes sentiments, d'ailleurs…

Jade me regarde, pensive, puis elle suggère :

— Tu pourrais dire à ton père qu'il doit renouer nos fiançailles, que c'est très important pour toi.

Je refuse catégoriquement, mais Jade insiste.

— Tu dois le convaincre que notre mariage te rendrait heureuse !

— Non, je ne peux pas faire ça !

— Très bien ! Eh bien, moi, je ne vais pas pouvoir garder ton secret… dit-elle les bras croisés, un sourire narquois sur les lèvres. Je te donne jusqu'à ce soir pour y réfléchir. Ou on s'aide mutuellement, ou je raconte tout à ton père ! Tu choisis…

J'ai toujours pensé que Jade était

idiote, mais aujourd'hui, elle me démontre qu'en plus, elle est méchante.

Désespérée, je monte dans la chambre d'Angie pour lui demander conseil et découvre que toutes ses affaires ont disparu ! Je cours la chercher au Studio et la trouve dans son bureau. Elle a l'air triste, comme si elle avait pleuré.

— Bonjour, Violetta… Justement, je voulais te parler.

— Que se passe-t-il, Angie ? Pourquoi as-tu quitté la maison ? C'est à cause de Jade ? Tu t'es disputée avec mon père ?

— Non, Violetta, je…

Je me sens si mal que je la coupe à nouveau.

— Alors… Pourquoi es-tu partie ? Je croyais qu'on était amies, Angie, et tu m'abandonnes sans aucune explication.

Angie ouvre la bouche, prête à parler, puis elle semble se raviser et m'annonce qu'elle ne peut plus être ma gouvernante car elle veut se consacrer pleinement à sa carrière.

— Si ça te rend heureuse, je te souhaite bonne chance, Angie, je lui réponds, la gorge serrée. Mais j'aurais préféré que tu me le dises avant de partir.

Je rentre chez moi, toute retournée. C'est le jour le plus triste de ma vie… Je m'apprête à renoncer à mon rêve pour ne pas obliger mon père à passer le reste de sa vie aux côtés de quelqu'un comme Jade, et en plus, je n'ai personne à qui en parler !

— Le temps est écoulé, ma chère Violetta, dit Jade dès que j'entre dans le salon. Qu'as-tu décidé ?

— Je regrette, je sais que je dois me battre pour réaliser mes rêves, mais je ne

peux pas le faire au détriment du bonheur de mon père !

— Je ne sais pas pourquoi tu imagines
que Germán sera malheureux à mes
côtés. Tu crois vraiment que je suis si
méchante que ça ?

— Tu me fais du chantage pour que
Papa revienne avec toi, alors…

Elle secoue la tête en prenant un air
grave. Quand elle se remet à parler, elle
me semble moins folle que d'habitude.

— Violetta, je sais que tu ne m'aimes pas, mais ça ne signifie pas que je ne suis pas faite pour ton père. Dès le premier jour, tu m'as mal jugée. Tu crois que je suis bête, je sais que tu te moques de moi à cause de ça. Peut-être que je ne suis pas très maligne, mais je peux rendre ton père heureux. Et maintenant, à cause de toi, on va tous souffrir.

Papa arrive juste à cet instant. On se précipite toutes les deux vers lui.

— Germán, je dois te parler.

— Non, Papa, *moi*, je dois te parler.

Il nous regarde à tour de rôle, surpris.

— Je t'écoute, Violetta.

Je soupire, soulagée, tandis que Jade s'en va. Si quelqu'un doit lâcher cette bombe, je préfère que ce soit moi.

— Papa, je…

Tout à coup, je perds courage. Certaines des choses que Jade a dites me font douter. Avant de briser le cœur de mon père, je dois m'assurer que je fais ce qu'il y a de mieux pour lui.

— Je peux te poser une question, Papa ? je reprends. Pourquoi as-tu quitté Jade ?

Il est évident qu'il ne s'attendait pas à cette question. Il réfléchit quelques secondes, puis me répond :

— Je ne sais pas… sans doute par peur. Après la mort de ta mère, je n'aurais jamais imaginé avoir une relation avec quelqu'un d'autre… jusqu'à ma rencontre avec Jade.

C'est la première fois que mon père se confie à moi de cette manière.

— Tu l'aimes ?

Ma question semble le mettre mal à l'aise.

— Je veux dire… Tu crois que tu pourrais être heureux avec elle ? S'il te plaît, Papa, réponds-moi, j'ai besoin de le savoir.

Il pousse un soupir et acquiesce.

— Si je n'en étais pas convaincu, je ne serais jamais allé aussi loin avec elle.

— Qu'est-ce qui t'a plu en elle ?

Soudain, son visage s'illumine.

— Je ne sais pas, Violetta... Jade est spontanée, elle me fait rire... confesse-t-il, une lueur dans le regard. Pourquoi me poses-tu toutes ces questions ?

L'expression de son visage quand il parle de Jade et tout ce que celle-ci m'a dit ce matin me font changer d'avis. Je n'ai peut-être pas besoin de renoncer à mes rêves, finalement... Tout compte fait, ils sont peut-être bien ensemble ?

— Parce que je réalise que j'ai été injuste avec elle. Il me semble que je dois lui accorder une seconde chance... enfin, qu'« on doit ». Toi aussi.

Jade avait raison : un des motifs pour lesquels mon père a rompu leurs fiançailles, c'est moi. En tout cas, juste après notre conversation, ils se réconcilient.

Mon père a l'air plus heureux qu'avant, et Jade, fidèle à sa parole, ne révèle pas mon secret. Je peux donc poursuivre mes études au Studio.

Malheureusement, Papa a insisté pour maintenir la date des fiançailles. Elles auront lieu dans deux jours, en même temps que la première du spectacle. Là, c'est sûr, je ne pourrai pas y participer…

CHAPITRE 10

À deux jours de la première, je dois annoncer aux professeurs que je ne peux pas participer au spectacle parce que je dois assister aux fiançailles de mon père. C'est Camila qui reprend mon rôle. Ça me réconforte. Elle va enfin avoir la possibilité de montrer ce dont elle est capable !

En sortant du bureau de Pablo, je suis stupéfaite de voir passer Tomas avec des béquilles.

— Comment tu t'es fait ça ? je lui demande, en oubliant nos querelles.

— Rien, une broutille, je me suis tordu la cheville en cours de danse. Avec un bon anti-inflammatoire et du repos, demain, je pourrai danser.

— Tant mieux…

On se tait pendant quelques minutes, sans trop savoir comment continuer notre conversation.

— Écoute, Violetta, dit finalement Tomas, j'ai beaucoup réfléchi et j'ai aussi écouté Francesca – tu sais qu'elle peut être très insistante…

On rit tous les deux, complices, puis il ajoute :

— Le fait est que… Voilà, je suis désolé d'avoir été aussi désagréable. Je sais bien que tu sors avec Leon et qu'on ne peut pas revenir en arrière, mais j'espère qu'on pourra au moins se parler normalement.

J'accepte avec joie. Perdre l'amitié de Tomas a été le pire de toute cette histoire et pouvoir la récupérer me soulage.

Je croise ensuite Leon.

— Comment vas-tu, mon cœur ? me demande-t-il en m'embrassant.

— Pas très bien. Je me sens mal d'avoir permis à Jade d'embobiner mon père pour garder mon secret, et tout ça pourquoi ? Je ne vais même pas pouvoir participer au spectacle…

— On va au théâtre pour la répétition générale avant la première de demain, m'explique Leon. Tu viens avec nous ?

J'aimerais tellement que tu sois là pour me soutenir.

Je les accompagne, même si, en fait, ça s'avère ne pas être une bonne idée… Les voir chanter et danser sur scène me fait prendre conscience que je ne serai pas parmi eux demain, et ça me rend triste. Pendant que je les observe, envieuse, Angie s'installe à côté de moi.

— Que se passe-t-il ? m'interroge-t-elle tendrement.

En entendant sa voix, je ne peux pas me retenir et je lui avoue :

— Tout s'effondre autour de moi, Angie ! Je pense que ma place est ici, mais la vie me démontre le contraire…

— Non, Violetta, je ne te laisserai pas penser ça. Il y a toujours des hauts et des bas, mais tu ne dois pas baisser les bras.

Je sens que je vais me mettre à pleurer. Il n'est pas question que les autres me voient. C'est un jour heureux pour

mes amis et je ne veux surtout pas les ennuyer avec mes drames personnels.

— Angie, j'aimerais tellement croire que tu as raison, mais c'est plus fort que moi…

Je m'empresse de rentrer à la maison pour pleurer et rate ainsi tout un tas d'événements que mes amis me rapportent par la suite.

Après la répétition, de retour à l'école, Ludmila reçoit une visite qui change tout. Charly, le producteur de la pub de nourriture pour cochons, vient la chercher au Studio, accompagné de l'avocat du père de Ludmila. Apparemment, ils ont trouvé un accord : pour annuler le contrat sans procès, la blonde doit faire une dernière tournée promotionnelle dans le pays, et ce, dès demain !

— C'est impossible ! s'écrie Ludmila. Demain, je fais mes débuts au théâtre !

— C'est toi qui vois, la menace Charly. Ou tu viens avec nous demain et tu fais cette pub une dernière fois, ou tu risques la prison. Pense que tu es en âge d'aller devant les tribunaux, ma jolie... Un contrat est un contrat !

Notre spectacle semble maudit, mais Antonio et Pablo savent parfaitement qu'ils ne peuvent pas l'annuler. Ils y ont mis tout leur argent. Sans la recette des entrées, ils seront ruinés. Les professeurs se réunissent pour délibérer. Finalement, Nata remplace Ludmila. Elle est très douée, peut-être même plus que son amie, mais elle manque de confiance en elle.

Le départ de Ludmila, la cheville de Tomas, mon remplacement, et les ruses de Gregorio pour boycotter la comédie musicale, sous prétexte que cela donne une mauvaise image de l'école… tout ça rend mes amis très nerveux. S'ils continuent comme ça, demain, pour la première, ils seront incapables de faire un seul pas de danse !

Quant à moi, j'ai mes propres problèmes. Après avoir pleuré toutes les larmes de mon corps, je descends dans la cuisine pour grignoter quelque chose lorsque mon portable sonne. C'est Tomas.

— Violetta, désolé de t'appeler, mais je t'ai vue dans un tel état au théâtre... Tu vas mieux ?

— Oui, ça va, merci.

Il commence à m'agacer. Après tout, Tomas n'a plus à se préoccuper de moi.

— Pourquoi est-ce que tu m'appelles, Tomas ?

Je l'entends soupirer à l'autre bout du fil.

— Parce que, malgré tout, je ne supporte pas de te voir souffrir et... même si tout indique que nous ne pouvons pas être ensemble, je n'arrive pas à t'oublier, Violetta.

J'en tombe presque, d'émotion. Mes jambes tremblent. Comment peut-il encore me faire autant d'effet ? Je suis totalement incapable de lui répondre. J'entends la voix de Tomas dans le combiné :

— Violetta, tu as entendu ce que j'ai dit ? insiste-t-il.

— Oui, oui, je réponds en bégayant. Tomas, je…

Juste à cet instant, on sonne à la porte de la cuisine. J'aperçois Leon qui me salue à travers la fenêtre. Je cours lui ouvrir en gardant Tomas en ligne.

— Ça va, mon amour ? m'interroge Leon. Tu es partie si vite du théâtre, et maintenant, tu sembles…

— Violetta, tu m'entends ?

J'éteins mon téléphone et me jette contre Leon, toute tremblante.

— Pourquoi est-ce que ça m'arrive ? je dis tout bas.

— Quoi ? demande Leon.

J'hésite un instant et le serre à nouveau dans mes bras.

— Je t'aime beaucoup, Leon, beaucoup…

Quelque chose ne va pas chez moi. Pourquoi puis-je encore avoir des sentiments pour Tomas alors que j'ai un petit ami fantastique ? Leon est beau, intelligent et tendre. Il est toujours là quand j'ai besoin de lui et il ne me fait pas souffrir… Alors, pour quelle raison je tremble d'émotion quand Tomas me parle ? Pourquoi mon cœur bat-il si vite quand je le vois ? Le pire de tout, c'est que j'éprouve la même chose quand je suis avec Leon. Est-il possible d'aimer deux personnes à la fois ?

Le jour des fiançailles est enfin arrivé ! On sort tous de la maison pour se diriger vers la petite île où aura lieu la fête. Une fois là-bas, on s'habillera et on se préparera pour le grand moment. Je ne suis pas de très bonne humeur, mais je fais tout mon possible pour le dissimuler.

Je ne veux pas gâcher la journée de mon père. Pourtant, je suis désespérée de savoir que mes amis vont jouer…

Mon père vient me voir au moment où je m'apprête à aller me changer.

— Comment vas-tu, ma puce ?

— Papa, tu es sûr de vouloir entendre ma réponse ? je dis machinalement.

Heureusement qu'il est de bonne humeur…

— Tout ce qui compte pour moi, c'est que tu sois heureuse, Violetta, me répond-il.

Ces mots si tendres me font beaucoup réfléchir. Si c'est vrai, si tout ce que veut mon père, c'est mon bonheur, je ne devrais peut-être pas renoncer à mes rêves… Je dois absolument participer au spectacle, ne serait-ce que depuis les coulisses ! C'est la seule chose qui me rendrait vraiment heureuse.

Sans plus y penser, je cours vers l'embarcadère de l'île pour prendre le dernier bateau. J'arrive au théâtre au moment où le spectacle commence. Je passe derrière le rideau, et la première personne que je vois, c'est Tomas. Son visage s'illumine. Il se précipite vers moi.

— Violetta, tu es venue ! Je ne sais pas comment tu as réussi à t'échapper, mais je suis heureux de te voir…

Son enthousiasme est contagieux.

— Je ne pouvais pas rater ça…

— Je suis si content, murmure Tomas, ému. Tu as enfin compris que ta place était ici !

Sa sincérité me donne le courage de lui faire un aveu.

— J'ai aussi compris autre chose, Tomas. Quoi que je fasse pour l'éviter, j'éprouve des sentiments pour toi… mais aussi pour Leon…

J'avale ma salive avant de poursuivre.

— Je n'aurais jamais imaginé vivre ça, mais je n'y peux rien.

Tomas se tait… C'est sûr, il ne s'attendait pas à ça, mais moi, j'ai fait un grand pas dans ma vie. Je suis enfin capable de dire ce que je ressens et de faire ce que je désire. Je souris et, en le prenant au dépourvu, l'embrasse sur la joue.

— Et maintenant, je vais voir si Antonio a besoin de moi ! je m'exclame joyeusement.

Je vais jusqu'aux loges, et là… c'est le chaos ! Nata n'arrête pas de vomir alors que son numéro est sur le point de commencer !

— S'il vous plaît, Antonio ! supplie-t-elle en me voyant. Est-ce que Violetta peut me remplacer ?

Antonio me regarde, désespéré.

— Tu es prête, ma fille ?

Je lui souris et fais un pas en avant.

—Je ne suis jamais sentie aussi prête…

On m'habille et me maquille en un temps record, et me voilà sur scène pour chanter ma chanson avec Francesca, Maxi et Camila.

C'est bien là, entourée de mes amis, que je dois être. Il est temps pour moi de briller !

Dès que la musique commence, je me transforme totalement et chante comme

je n'ai jamais chanté auparavant, avec toute mon âme et tout mon cœur. Je n'ai plus peur !

Quand la chanson s'achève, le public m'acclame. C'est un triomphe ! Soudain, la moitié du décor s'écroule et les lumières éclatent ! Les gens se mettent à hurler, terrorisés.

La représentation est terminée ! Pour tout le monde…

FIN

DISNEP

Violetta

SAISON 2
SUR
DISNEY CHANNEL

Disney
CHANNEL

RCS Meaux B 401 253 463   © 2013 DISNEY.

Disney Channel* est disponible sans supplément sur :

Retrouve vite Violetta et ses amis dans les premiers tomes !

Tome 1
Dans mon monde

Tome 2
Un cœur à prendre

Tome 3
Chanter à tout prix

Tome 4
Du rêve à la réalité

TABLE

Chapitre 1 11
Chapitre 2 25
Chapitre 3 43
Chapitre 4 63
Chapitre 5 75
Chapitre 6 87
Chapitre 7 99
Chapitre 8 113
Chapitre 9 127
Chapitre 10 143

PAPIER À BASE DE
FIBRES CERTIFIÉES

hachette s'engage pour
l'environnement en réduisant
l'empreinte carbone de ses livres.
Celle de cet exemplaire est de :
500 g éq. CO_2
Rendez-vous sur
www.hachette-durable.fr

Photogravure Nord Compo - Villeneuve d'Ascq

Imprimé en Espagne par CAYFOSA
Dépôt légal : octobre 2013
Achevé d'imprimer : janvier 2014
20.4188.7/05 – ISBN 978-2-01-204188-2
Loi n° 49956 du 16 juillet 1949
sur les publications destinées à la jeunesse